春秋經傳集解莊公第三（莊公名同桓公子母文姜諡法勝敵克亂曰莊）

杜氏　盡三十二

經元年春王正月○三月夫人孫于齊（夫人莊公母也魯又責之故出奔內諱奔謂之孫猶孫讓而去孫本亦作遜音同注及傳同）○夏單伯送王姬（無傳單伯天子卿也單采地伯爵也王將嫁女于齊既命魯為主故單伯送女不稱使也王姬不稱字以王為尊且別於內女也天子嫁女於諸侯使同姓諸侯主之不親昏尊卑不敵單音善采七代切別彼列切）○秋築王姬之館于外（公在諒闇慮齊侯當親迎不忍便以禮接於廟又不敢逆王命故築舍於外諒音梁又音亮迎魚敬切）○冬十月乙亥陳侯林卒（無傳未同盟而赴以名）○王使榮叔來錫桓公命（無傳榮叔周大夫榮氏叔字錫賜也追命桓公褒稱其德若昭七年王追命衛襄之比比必利切）○王姬歸于齊（無傳不書逆公不與接）○齊師遷紀郱鄑郚（無傳齊欲滅紀故徙其三邑之民而取其地郱在東莞臨朐縣東南郚在朱虛縣東南北海都昌縣西有訾城郱蒲丁切鄑子斯切郚音吾朐其俱切訾子斯切）

傳元年春不稱即位文姜出故也（文姜與桓俱行而桓為齊所殺故不敢還莊公父弒母出故不忍行即位之禮據文姜未還故傳稱文姜出也姜於是感公意而還不書不告廟殺音試又如字）○三月夫人孫于齊不稱姜氏絕不為親禮也（姜氏齊姓於文姜之義宜與齊絕而復奔齊故於其奔去姜氏以示義復扶又切去起呂切）○秋築王姬之館于外為外禮也（齊彊魯弱又委罪於彭生魯不能讎齊然喪制未闋故異其禮得禮之變闋苦穴切）

經二年春王二月葬陳莊公（無傳魯往會之故書例在昭六年）○夏公子慶父帥師伐於餘丘（無傳於餘丘國名也莊公時年十五則慶父莊公庶兄）○秋七月齊王姬卒（無傳魯為之主比之內女）○冬十有二月夫人姜氏會齊侯于禚（夫人有不以禮故還皆不書不告廟也禚齊地禚諸若切）○乙酉宋公馮卒（無傳再與桓同盟馮皮冰切）

傳二年冬夫人姜氏會齊侯于禚書姦也（文姜前與公俱如齊後懼而出奔至此始與齊好會會非夫人之事顯然書之傳曰書姦姦在夫人文姜此年出會其義皆同好呼報切）

經三年春王正月溺會齊師伐衛（溺魯大夫疾其專命而行故去氏溺乃狄切去起呂切）○夏四月葬宋莊公（無傳）○五月葬桓王○秋紀季以酅入于齊（季紀侯弟酅紀邑在齊國東安平縣齊欲滅紀故季以酅入齊為附庸先祀不廢社稷有奉故書字貴之酅戶圭切本又作攜）○冬公次于滑（滑鄭地在陳留襄邑縣西北傳例曰凡師過信為次兵未有所加所次則書之既書兵所加則）

不書其所次以事爲宜非虛次〔滑〕乎八切又于八切

傳三年春溺會齊師伐衛疾之也 亯重盟上例〔重〕直用切 ○夏五月葬桓王緩也 以桓十五年三月崩七年乃葬故曰緩 ○秋紀季以酅入于齊紀於是乎始判 判分也言分爲附庸始於此 ○冬公次于滑將會鄭伯謀紀故也鄭伯辭以難 厲公在櫟故〔難〕乃旦切〔櫟〕音歷或音書灼切 凡師一宿爲舍再宿爲信過信爲次 爲經書次例也舍宿不書輕也言凡師通君臣

經四年春王二月夫人姜氏享齊侯于祝丘 無傳享食也兩君相見之禮非夫人所用直書以見其失祝丘魯地〔食〕音嗣又如字本或作會〔見〕賢遍切 ○三月紀伯姬卒 無傳隱二年裂繻所逆者内女唯諸侯夫人卒葬皆書恩成於敵禮 ○夏齊侯陳侯鄭伯遇于垂 無傳 ○紀侯大去其國 以國與季季奉社稷故不言滅不見迫逐故不言奔大去者不反之辭 ○六月齊侯葬紀伯姬 無傳紀季入酅爲齊附庸而紀侯大去其國齊侯加禮初附以崇厚義故攝伯姬之喪而以紀國夫人禮葬之 ○秋七月 ○冬公及齊人狩于禚 無傳公越竟與齊微者俱狩失禮可知〔狩〕手又切〔竟〕音境

傳四年春王三月楚武王荊尸授師孑焉以伐隨 尸陳也荊亦楚也更爲楚陳兵之法揚雄方言孑者戟也然則楚始於此參用戟爲陳〔孑〕吉熱切〔陳〕直覲切 將齊入告夫人鄧曼曰余心蕩 將授兵於廟故齊蕩動散也〔齊〕側法切 鄧曼歎曰王祿盡矣盈而蕩天之道也先君其知之矣故臨武事將發大命而蕩王心焉 楚爲小國僻陋在夷至此武王始起其衆僣號稱王陳兵授師志意盈滿臨齊而散故鄧曼以天地鬼神爲徵應之符〔僻〕匹亦切〔僣〕子念切〔應〕應對之應 若師徒無虧王薨於行國之福也 王薨於行不死於敵 王遂行卒於樠木之下 樠木木名〔樠〕郎蕩切又莫昆切又武元切 令尹鬭祁莫敖屈重除道梁溠營軍臨隨隨人懼行成 時秘王喪故爲奇兵更開直道溠水在義陽厥縣西東南入鄖水梁橋也隨人不意其王故懼而行成〔重〕直用切又直容切〔溠〕高貴鄉公音側嫁切水名林壯加切〔鄖〕音云或作員 莫敖以王命入盟隨侯且請爲會於漢汭而還 汭内也謂漢西〔汭〕如銳切水曲曰汭 濟漢而後發喪 紀侯不能下齊以與紀季 不能降屈事齊盡以國與季明季不叛〔下〕遐嫁切 夏紀侯大去其國違齊難也 違辟也〔難〕乃旦切

經五年春王正月 ○夏夫人姜氏如齊師 無傳書姦 ○秋郳犂來來朝 附庸國也東海昌慮縣東北有郳城犂來名〔郳〕五兮切國名後爲小邾〔犂〕力兮切〔慮〕如字又力於切 冬公會

齊人宋人陳人蔡人伐衛

傳五年秋郳犂來來朝名未王命也未受爵命爲諸侯傳發附庸稱名例也其後數從齊桓以尊周室王命以爲小邾子〔數〕音朔○冬伐衛納惠公也惠公朔也桓十六年出奔齊

經六年春王正月王人子突救衛王人王之微官也雖官卑而見授以大事故稱人而又稱字○夏六月衛侯朔入于衛朔爲諸侯所納不稱歸而以國逆爲文朔懼失衆心以國逆告也歸入例在成十八年○秋公至自伐衛無傳告於廟也○螟〔螟〕亡丁切○冬齊人來歸衛俘公羊穀梁經傳皆言衛寶此傳亦言寶唯此經言俘疑經誤俘囚也〔俘〕芳夫切

傳六年春王人救衛○夏衛侯入放公子黔牟于周放寗跪于秦殺左公子洩右公子職甯跪衛大夫宥之以遠曰放〔寗〕乃定切〔跪〕其毀切〔宥〕音又乃即位君子以二公子之立黔牟爲不度矣夫能固位者必度於本末而後立衷焉不知其本不謀知本之不枝弗彊本末終始也衷節適也譬之木本弱者其枝必披非人力所能彊成〔度〕待洛切〔衷〕丁仲切注同王音忠〔彊〕其丈切注同〔披〕普靡切又普知切詩云本枝百世詩大雅言文王本枝俱茂蕃滋百世也〔蕃〕音煩○冬齊人來歸衛寶文姜請之也公親與齊共伐衛事畢而還文姜淫於齊侯故求其所獲珍寶使以歸魯欲說魯以謝慙〔說〕音悅○楚文王伐申過鄧鄧祁侯曰吾甥也止而享之祁謚也姊妹之子曰甥〔祁〕巨支切字林上尸切騅甥聃甥養甥請殺楚子皆鄧甥仕於舅氏也〔騅〕音隹鄧侯弗許三甥曰亡鄧國者必此人也若不早圖後君噬齊若齧腹齊喻不可及〔噬〕市制切〔齊〕粗兮切〔齧〕五結切其及圖之乎圖之此爲時矣鄧侯曰人將不食吾餘言自害其甥必爲人所賤對曰若不從三臣抑社稷實不血食而君焉取餘言君無復餘〔焉〕於虔切〔復〕扶又切弗從還年楚子伐鄧伐申還之年十六年楚復伐鄧滅之魯莊公十六年楚然彊盛爲經書楚事張本

經七年春夫人姜氏會齊侯于防防魯地○夏四月辛卯夜恒星不見恒常也謂常見之星辛卯四月五日月光尚微蓋時無雲日光不以昏沒〔見〕賢遍切注及傳皆同夜中星隕如雨如而也夜半乃有雲星落而且雨其數多皆記異也日光不匿恒星不見而云夜中者以水漏知之夜〔中〕夜半也丁仲切又如字〔隕〕于閔切落也〔匿〕女力切○秋大水無傳○無麥苗今五月周之秋平地水出漂殺熟麥及五稼之苗〔漂〕匹妙切又匹遙切○冬夫人姜氏會齊侯于穀無傳穀齊地今濟北穀城縣

傳七年春文姜會齊侯于防齊志也文姜數與齊侯會至齊地則姦發夫人至魯地則齊侯之志故傳略舉二端以言之數音朔○夏恒星不見夜明也星隕如雨與雨偕也偕俱也偕音皆○秋無麥苗不害嘉穀也黍稷尚可更種故曰不害嘉穀

經八年春王正月師次于郎以俟陳人蔡人無傳期共伐郕陳蔡不至故駐師于郎以待之○甲午治兵治兵於廟習號令將以圍郕○夏師及齊師圍郕郕降于齊師郕二國同討而齊獨納降戶江切傳皆同○秋師還時史善公克己復禮全軍而還故特書師還○

冬十有一月癸未齊無知弒其君諸兒稱臣臣之罪也兒如字一音五兮切

傳八年春治兵于廟禮也夏師及齊師圍郕郕降于齊師仲慶父請伐齊師齊不與魯共其功故欲伐之公曰不可我實不德齊師何罪罪我之由夏書曰皋陶邁種德夏書逸書也稱皋陶能勉種德邁勉也夏戶雅切後放此陶音遙德乃降姑務脩德以待時乎言苟有德乃爲人所降服姑且也秋師還君子是以善魯莊公傳言經所以即用舊史之文○齊侯使連稱管至父戍葵丘連稱管至父皆齊大夫戍守也葵丘齊地臨淄縣西有地名葵丘稱尺證切又如字瓜時而往曰及瓜而

代期戍公問不至問命也期音基本亦作朞請代弗許故謀作亂僖公之母弟曰夷仲年生公孫無知有寵於僖公衣服禮秩如適適大子適丁歷切襄公絀之二人因之以作亂二人連稱管至父絀勑律切連稱有從妹在公宮無寵使間公伺公之間隙從子用切下從者同間如字注同或古莧切非曰捷吾以女爲夫人捷克也宣無知之言捷在接切女音汝冬十二月齊侯游于姑棼遂田于貝丘姑棼貝丘皆齊地田獵也樂安博昌縣南有地名貝丘棼扶云切貝補蓋切見大豕從者曰公子彭生也公見大豕而從者見彭生皆妖鬼公怒曰彭生敢見射之豕人立而啼公懼隊于車傷足喪屨反誅屨於徒人費誅責也啼田兮切樂音洛見賢遍切射食亦切隊直類切喪息浪切屨九具切費音秘弗得鞭之見血走出遇賊于門劫而束之費曰我奚御哉袒而示之背信之費請先入詐欲助賊御魚呂切袒音但伏公而出鬪死于門中石之紛如死于階下石之紛如齊小臣亦鬪死紛敷文切遂入殺孟陽于牀孟陽亦小臣代公居牀牀士良切曰非君也不類見公之足于戶下遂弒之而立無知經書十一月癸未長歷推之月六日也傳云十二月傳誤初

襄公立無常（政令無常）鮑叔牙曰君使民慢亂將作矣奉公子小白出奔莒（鮑叔牙小白傅小白僖公庶子鮑步卯切）亂作管夷吾召忽奉公子糾來奔（管夷吾召忽皆子糾傅也子糾小白庶兄來不書皆非卿也爲九年公伐齊納子糾齊小白入于齊傳召時照切糾居黝切）

初公孫無知虐于雍廩（雍廩齊大夫爲殺無知傳廩力錦切）

經九年春齊人殺無知（無知弒君而立未列於會故不書爵例在成十六年）○公及齊大夫盟于蔇（齊亂無君故大夫得敵於公蓋欲迎子糾也來者非一人故不稱名蔇魯地琅邪繒縣北有蔇亭蔇其器切繒才陵切）○夏公伐齊納子糾齊小白入于齊（二公子各有黨故雖盟而迎子糾當須伐乃得入又出在小白之後小白稱入從國逆之文本無位）○秋七月丁酉葬齊襄公（無傳九月乃葬亂故）○八月庚申及齊師戰于乾時我師敗績（小白既定而公猶不退師歷時而戰戰遂大敗不稱公戰公敗諱之乾時齊地時水在樂安界岐流旱則竭涸故曰乾時乾音干岐其宜切又巨移切涸戶各切）○九月齊人取子糾殺之（公子爲賊亂則書齊實告殺而書齊取殺者時史惡齊志在譎以求管仲非不忍其親故極言之惡烏路切譎古穴切）○冬浚洙（無傳洙水在魯城北下合泗浚深之爲齊備浚蘇俊切洙音殊水名泗音四）

傳九年春雍廩殺無知公及齊大夫盟于蔇齊無君也夏公伐齊納子糾桓公自莒先入（桓公小白）秋師及齊師戰于乾時我師敗績公喪戎路傳乘而歸（戎路兵車傳乘乘他車喪息浪切傳直專切又丁戀切乘繩證切注傳乘同乘他車如字）秦子梁子以公旗辟于下道（二子公御及戎右也以誤齊師辟音避本亦作避又婢亦切）是以皆止（止獲也）鮑叔帥師來言曰子糾親也請君討之（鮑叔乘勝而進軍志在生得管仲故託不忍之辭）管召讎也請受而甘心焉（管仲射桓公故曰讎甘心言欲快意戮殺之召時照切讎市由切射食亦切）乃殺子糾于生竇（生竇魯地竇音豆）召忽死之管仲請囚鮑叔受之及堂阜而稅之（堂阜齊地東莞蒙陰縣西北有夷吾亭或曰鮑叔解夷吾縛於此因以爲名稅本又作說同吐活切又失銳切解姑蟹切縛扶略切）歸而以告曰管夷吾治於高傒（高傒齊卿高敬仲也言管仲治理政事之才多於敬仲治直吏切傒音兮）使相可也公從之（相息亮切）

經十年春王正月公敗齊師于長勺（齊人雖成列魯以權譎稽之列成而不得用故以未陳爲文例在十一年長勺魯地勺上酌切陳直覲切十一年經注同）○二月公侵宋（無傳侵例在二十九年）

○三月宋人遷宿無傳宋彊遷之而取其地故文異於邢遷彊其丈切○夏六月齊師宋
師次于郎不言侵伐齊爲兵主背蔑之盟義與長勺同背音佩傳同○公敗宋師于乘丘乘丘魯地
乘繩證切○秋九月荆敗蔡師于莘荆楚本號後改爲楚楚辟陋在夷於此始通上國然告命之辭
猶未合典禮故不稱將帥莘蔡地莘所巾切將子匠切又作帥同所類切以蔡侯獻舞歸獻舞蔡季○
冬十月齊師滅譚譚國在濟南平陵縣西南傳曰譚無禮此直釋所以見滅經無義例他皆放此滅例在文
十五年譚徒南切譚子奔莒不言出奔國滅無所出
傳十年春齊師伐我不書侵伐齊背蔑之盟我有辭公將戰曹劌請見曹劌魯人劌古
衛切見賢遍切其鄉人曰肉食者謀之又何間焉肉食在位者間猶與也間間廁之間與音
預劌曰肉食者鄙未能遠謀乃入見問何以戰公曰衣食所安
弗敢專也必以分人對曰小惠未徧民弗從也分公衣食所惠不過左右故曰
未徧徧音遍公曰犧牲玉帛弗敢加也必以信祝辭不敢以小爲大以惡爲美犧許宜切
對曰小信未孚神弗福也孚大信也公曰小大之獄雖不能察必以
情必盡己情察審也對曰忠之屬也上思利民忠也屬音蜀可以一戰戰則請從
公與之乘共乘兵車從才用切乘繩證切戰于長勺公將鼓之劌曰未可齊人
三鼓劌曰可矣齊師敗績公將馳之劌曰未可下視其轍視車跡也
三息暫切又如字轍直列切登軾而望之曰可矣遂逐齊師既克公問其故
對曰夫戰勇氣也一鼓作氣再而衰三而竭彼竭我盈故克之
夫大國難測也懼有伏焉恐詐奔軾音式伏如字舊扶又切吾視其轍亂望其
旗靡故逐之旗靡轍亂怖遽旗音其靡音美怖普布切遽其據切○夏六月齊師宋師次
于郎公子偃曰宋師不整可敗也公子偃魯大夫宋敗齊必還請擊之
公弗許自雩門竊出蒙皐比而先犯之雩門魯南城門皐比虎皮雩音于比音毗公
從之大敗宋師于乘丘齊師乃還○蔡哀侯娶于陳息侯亦娶
焉息嬀將歸過蔡蔡侯曰吾姨也妻之姊妹曰姨止而見之弗賓不禮敬也
息侯聞之怒使謂楚文王曰伐我吾求救於蔡而伐之楚子從
之秋九月楚敗蔡師于莘以蔡侯獻舞歸○齊侯之出也過譚
譚不禮焉及其入也諸侯皆賀譚又不至以九年入過古禾切冬齊師滅

譚譚無禮也譚子奔莒同盟故也傳言譚不能及遠所以亡

經十有一年春王正月無傳○夏五月戊寅公敗宋師于鄑鄑魯地傳例曰敵未陳曰敗某師鄑子斯切○秋宋大水公使弔之故書○冬王姬歸于齊魯主昏不書齊侯逆不見公

傳十一年夏宋爲乘丘之役故侵我公禦之宋師未陳而薄之敗諸鄑凡師敵未陳曰敗某師通謂設權譎變詐以勝敵彼我不得成列成列而不得用故以未陳獨敗爲文爲于僞切陳直覲切皆陳曰戰堅而有備各得其所成敗決於志力者也大崩曰敗績師徒撓敗若沮岸崩山喪其功績故曰敗績撓乃孝切又乃巧切沮在呂切壞也又子餘切岸崩謂之沮喪息浪切得儁曰克謂若太叔段之比才力足以服衆威權足以自固進不成爲外寇彊敵退復狡壯有二君之難而實非二君克而勝之則不言彼敗績但書所克之名儁音俊本或作俊比必利切復扶又切狡交卯切壯側亮切難乃旦切覆而敗之曰取某師覆謂威力兼備若羅網所掩覆一軍皆見禽制故以取爲文京師敗曰王師敗績于某王者無敵於天下天下非所得與戰者然春秋之世據有其事事列於經則不得不因申其義有時而敗則以自敗爲文明天下莫之得校京師敗本或作京師敗績者非校音教○秋宋大水公使弔焉曰天作淫雨害於粢盛若之何不弔不爲天所愍弔對曰孤實不敬天降之災又以爲君憂拜命之辱謝辱厚命臧文仲曰宋其興乎臧文仲魯大夫禹湯罪己其興也悖焉悖盛貌悖蒲忽切一作勃同桀紂罪人其亡也忽焉忽速貌且列國有凶稱孤禮也列國諸侯無凶則常稱寡人言懼而名禮其庶乎言懼而名禮絕句或以名禮絕句者非既而聞之曰公子御說之辭也宋莊公子御魚呂切本或作禦說音悅臧孫達曰是宜爲君有恤民之心

○冬齊侯來逆共姬齊桓公也共音恭○乘丘之役在十年公以金僕姑射南宮長萬金僕姑矢名南宮長萬宋大夫射食亦切長丁丈切公右歂孫生搏之搏取也不書獲萬時未爲卿歂市專切搏音博宋人請之宋公靳之戲而相愧曰靳魯聽其得還靳居覲切服云恥而惡之曰靳曰始吾敬子今子魯囚也吾弗敬子矣病之萬不以爲戲而以爲己病爲宋萬弒君傳

經十有二年春王三月紀叔姬歸于酅無傳紀侯去國而死叔姬歸魯紀季自定於齊而後歸之全守節義以終婦道故繫之紀而以初嫁爲文賢之也來歸不書非寧且非大歸酅音攜○夏四月○

秋八月甲午宋萬弑其君捷及其大夫仇牧捷閔公不書葬亂也萬及仇牧皆宋卿仇牧稱名不警而遇賊無善事可襃　警居領切　○冬十月宋萬出奔陳奔例在宣十年

傳十二年秋宋萬弑閔公于蒙澤蒙澤宋地梁國在蒙縣　遇仇牧于門批而殺之手批之　批音普迷切又蒲穴切字林云擊也父迷父節二切　遇大宰督于東宮之西又殺之殺督不書宋不以告　大音泰　立子游子游宋公子　羣公子奔蕭公子御說奔亳蕭宋邑今沛國蕭縣亳宋邑蒙縣西北有亳城　亳步各切　南宮牛猛獲帥師圍亳牛長萬之子猛獲其黨　冬十月蕭叔大心叔蕭大夫名　及戴武宣穆莊之族宋五公之子孫　以曹師伐之殺南宮牛于師殺子游于宋立桓公桓公御說　猛獲奔衛南宮萬奔陳以乘車輦其母一日而至乘車非兵車駕人曰輦宋去陳二百六十里言萬之多力南宮萬奔陳本或作長萬長術字也下亦然　乘繩證切注同　宋人請猛獲于衛衛人欲勿與石祁子曰不可石祁子衛大夫　天下之惡一也惡於宋而保於我保之何補得一夫而失一國與惡而棄好非謀也宋衛本同好國　好呼報切注同　衛人歸之亦請南宮萬于陳以賂陳人使婦人飲之酒而以犀革裹之比及宋手足皆見宋人皆醢之醢肉醬并醢猛獲故言皆　於陳以賂絕句　飲於鴆切　犀音西　裹音果　比必利切　見賢遍切　醢音海

經十有三年春齊侯宋人陳人蔡人邾人會于北杏北杏齊地　杏戶猛切　○夏六月齊人滅遂遂國在濟北蛇丘縣東北　蛇音移　○秋七月○冬公會齊侯盟于柯此柯今濟北東阿齊之阿邑猶祝柯今爲祝阿　柯古何切

傳十三年春會于北杏以平宋亂宋有弑君之亂齊桓欲脩霸業　遂人不至夏齊人滅遂而戍之戍守之也　○冬盟于柯始及齊平也始與齊桓通好　好音呼報切　○宋人背北杏之會背音佩十四年經注同

經十有四年春齊人陳人曹人伐宋背北杏會故　○夏單伯會伐宋既伐宋單伯乃至故曰會伐宋單伯周大夫　○秋七月荆入蔡入例在文十五年　○冬單伯會齊侯宋公衛侯鄭伯于鄄鄄衛地今東郡鄄城也齊桓脩霸業卒平宋亂宋人服從欲歸功天子故赴以單伯會諸侯爲文　鄄音絹又音真或音旃又舉然切或作鄄

傳十四年春諸侯伐宋齊請師于周齊欲崇天子故請師假王命以示大順經書人傳言

諸侯者摠衆國之辭夏單伯會之取成于宋而還○鄭厲公自櫟侵鄭厲公
以桓十五年入櫟遂居之櫟音歷及大陵獲傅瑕大陵鄭地傅瑕鄭大夫傅瑕曰苟舍我
吾請納君與之盟而赦之六月甲子傅瑕殺鄭子及其二子而
納厲公鄭子莊四年稱伯會諸侯今見殺不稱君無謚者微弱臣子不以君禮成喪告諸侯舍音捨鄭子子儀初
內蛇與外蛇鬭於鄭南門中內蛇死六年而厲公入公聞之問
於申繻曰猶有妖乎對曰人之所忌其氣燄以取之妖由人興
也尚書洛誥無若火始燄燄未盛而進退之時以喻人一不堅正蛇市者切繻音須妖於驕切燄音豔注同[illegible]古絜切人
無釁焉妖不自作人棄常則妖興故有妖厲公入遂殺傅瑕使
謂原繁曰傅瑕貳言有二心於己釁許靳切周有常刑既伏其罪矣納我而
無二心者吾皆許之上大夫之事吾願與伯父圖之上大夫卿也伯父謂
原繁疑原繁有二心且寡人出伯父無裏言無納我之言裏音[illegible]入又不念寡人親
隨己寡人憾焉對曰先君桓公命我先人典司宗祏桓公鄭始受封君也宗祏
宗廟中藏主石室言己世為宗廟守臣憾戶暗切祏音石藏主石函也守手又切社稷有主而外其心

其何貳如之苟主社稷國內之民其誰不為臣臣無二心天之
制也子儀在位十四年矣子儀鄭子也而謀召君者庸非貳乎庸用也
莊公之子猶有八人若皆以官爵行賂勸貳而可以濟事君其
若之何臣聞命矣乃縊而死莊公子猶有八人傳唯見四人子忽子亹子儀並死獨厲公
在八人名字記傳無聞縊一賜切傳○蔡哀侯為莘故繩息嬀以語楚子莘役在十年繩譽也
為于僞切莘所巾切語魚據切繩食承切說文作譝譽音餘又如字楚子如息以食入享遂滅
息僞設享食之具食音嗣以息嬀歸生堵敖及成王焉未言未與王言堵丁古切敖五
羔切杜云楚人謂未成君為敖史記作杜敖楚子問之對曰吾一婦人而事二夫縱
弗能死其又奚言楚子以蔡侯滅息遂伐蔡欲以說息嬀說音悅秋七月
楚入蔡君子曰商書所謂惡之易也如火之燎于原不可鄉邇
其猶可撲滅者其如蔡哀侯乎商書盤庚言惡易長而難滅易以豉切注同燎力召切又力弔
切鄉許亮切撲普卜切盤步干切本又作般長丁丈切○冬會于鄄宋服故也
經十有五年春齊侯宋公陳侯衛侯鄭伯會于鄄○夏夫人姜

氏如齊無傳夫人文姜齊桓公姊妹父母在則禮有歸寧沒則使卿寧○秋宋人齊人邾人伐郳宋主兵故序齊上〔郳〕五兮切○鄭人侵宋○冬十月

傳十五年春復會焉齊始霸也始爲諸侯長〔復〕扶又切〔長〕丁丈切○秋諸侯爲宋伐郳郳附庸屬宋而叛故齊桓爲之伐郳〔爲〕于僞切鄭人間之而侵宋〔間〕間廁之間一本作閒

經十有六年春王正月○夏宋人齊人衛人伐鄭宋主兵也班序上下以國大小爲次征伐則以主兵爲先春秋之常也他皆放此○秋荆伐鄭○冬十有二月會齊侯宋公陳侯衛侯鄭伯許男滑伯滕子同盟于幽書會魯會之不書其人微者也言同盟服異也陳國小每盟會皆在衛下齊桓始霸楚亦始疆陳侯介於二大國之間而爲三恪之客故齊桓因而進之遂班在衛上終於春秋滑國都費河南緱氏縣幽宋地〔介〕音界〔恪〕苦各切一本或無之客二字〔費〕扶味切又音祕〔緱〕古侯切又苦侯切○邾子克卒無傳克儀父名稱子者蓋齊桓請王命以爲諸侯再同盟

傳十六年夏諸侯伐鄭宋故也鄭侵宋故本或作爲宋故也○鄭伯自櫟入在十四年緩告于楚秋楚伐鄭及櫟爲不禮故也鄭伯治與於雍糺之亂者在桓十五年〔爲〕于僞切下同〔與〕音預九月殺公子閼刖彊鉏二子祭仲黨〔斷〕足曰刖公子〔閼〕安末切案隱十一年鄭有公孫閼距此三十五年不容復有公子閼若非閼字誤則子當爲孫〔刖〕音月又五刮切〔鉏〕仕魚切〔黨〕丁管切公父定叔出奔衛共叔段之孫定謚也〔父〕音甫王音如字〔共〕音恭三年而復之曰不可使共叔無後於鄭使以十月入曰良月也就盈數焉數滿於十君子謂彊鉏不能衛其足言其不能早辟害○冬同盟于幽鄭成也○王使虢公命曲沃伯以一軍爲晉侯曲沃武公遂并晉國僖王因就命爲晉侯小國故一軍〔并〕如字王必政切初晉武公伐夷執夷詭諸夷詭諸周大夫夷采地名〔詭〕九委切〔采〕七代切後放此蔿國請而免之蔿國周大夫〔蔿〕于委切既而弗報詭諸不報施於蔿國〔施〕始豉切故子國作亂謂晉人曰與我伐夷而取其地使晉取夷地遂以晉師伐夷殺夷詭諸周公忌父出奔虢周公忌父王卿士辟子國之難〔難〕乃旦切惠王立而復之魯桓十五年經書桓王崩魯莊三年經書葬桓王自此以來周有莊王又有僖王崩葬皆不見於經傳王室微弱不能復自通於諸侯故傳因周公忌父之事而見惠王惠王立在此年之末〔見〕賢遍切下同〔復〕扶又切

經十有七年春齊人執鄭詹齊桓始伯鄭既伐宋又不朝齊詹爲鄭執政大臣詣齊見執不稱行人罪之也行人例在襄十一年諸執大夫皆稱人以執之大夫賤故〔詹〕之廉切〔伯〕音霸又如字本又作霸○夏齊人

殲于遂殲盡也齊人戍遂遂翫而無備遂人討而盡殺之故時史因以自盡爲文（殲）子廉切（翫）五亂切（盡）津忍切○
秋鄭詹自齊逃來無傳詹不能伏節守死以解國患而遁逃苟免書逃以賤之（遁）徒遜切○冬多
麋無傳麋多則害五稼故以災書（麋）亡悲切
傳十七年春齊人執鄭詹鄭不朝也○夏遂因氏頷氏工婁氏
須遂氏饗齊戍醉而殺之齊人殲焉饗酒食也四族遂之彊宗齊滅遂戍之在十三年（頷）
烏納切又苦荅切（婁）力侯切（饗）本又作享
經十有八年春王三月日有食之無傳不書日官失之○夏公追戎于濟
西戎來侵魯公逐之於濟水之西○秋有蜮蜮短狐也蓋以含沙射人爲災（蜮）本又作蝛音或本草謂之射工（短）
本又作斷同丁管切（狐）又作弧音胡（射）食亦切○冬十月
傳十八年春虢公晉侯朝王王饗醴命之宥王之觀羣后始則行饗禮先置醴酒
示不忘古飲宴則命以幣物宥助也所以助歡敬之意言備設（醴）音禮（宥）音又皆賜玉五瑴馬三匹非
禮也雙玉爲瑴（瑴）音角又作珏王命諸侯名位不同禮亦異數不以禮假人
侯而與公同賜是借人禮（借）子夜切○虢公晉侯鄭伯使原莊公逆王后于陳陳嬀

歸于京師虢晉朝王鄭伯又以齊執其卿故求王爲援皆在周倡義爲王定昏陳人敬從得同姓宗國之禮故傳詳
其事不書不告（爲）于僞切實惠后陳嬀後號惠后寵愛少子亂周室事在僖二十四年故傳於此並正其后稱（少）詩照
切（稱）尺證切○夏公追戎于濟西不言其來諱之也戎來侵魯魯人不知去乃追之
故諱不言其來○秋有蜮爲災也○初楚武王克權使鬬緡尹之權國名南
郡當陽縣東南有權城鬬緡楚大夫（緡）亡巾切以叛圍而殺之緡以權叛以叛絕句本或作畔俗字也遷
權於那處那處楚地南郡編縣東南有那口城（那）又作聃同乃多切（處）昌呂切又昌慮切（編）必綿切又步典切使
閻敖尹之閻敖楚大夫及文王即位與巴人伐申而驚其師驚巴師巴
人叛楚而伐那處取之遂門于楚攻楚城門閻敖游涌而逸涌水在南郡華
容縣閻敖既不能守城又游涌水而走（涌）音勇水名楚子殺之其族爲亂冬巴人因之以
伐楚
經十有九年春王正月○夏四月○秋公子結媵陳人之婦于
鄄遂及齊侯宋公盟無傳公子結魯大夫公羊穀梁皆以爲魯女媵陳侯之婦其稱陳人之婦未入國略
言也大夫出竟有可以安社稷利國家者則專之可也結在鄄聞齊宋有會權事之宜去其本職遂與二君爲盟故備書之本非

會公意而又失滕陳之好故冬各來伐媵以證切又繩證切送也竟音境好呼報切○夫人姜氏如莒無傳非父母國而往書姦○冬齊人宋人陳人伐我西鄙無傳幽之盟魯使微者會鄄之盟又使滕臣行所以受敵鄙邊邑

傳十九年春楚子禦之大敗於津津楚地或曰江陵縣有津鄉巴人爲巴人所敗還鬻拳弗納遂伐黃鬻拳楚大閽黃嬴姓國今弋陽縣鬻音育拳求圓切閽音昏守門人也嬴音盈姓也字從女敗黃師于踖陵踖陵黃地踖在亦切又七略切還及湫有疾南郡鄀縣東南有湫城湫子小切鄀音若夏六月庚申卒鬻拳葬諸夕室夕室地名夕朝夕之夕亦自殺也而葬於絰皇絰皇冢前闕生守門故死不失職絰田結切絰皇闕也初鬻拳彊諫楚子楚子弗從臨之以兵懼而從之鬻拳曰吾懼君以兵罪莫大焉遂自刖也楚人以爲大閽謂之大伯若今城門校尉官彊其丈切大音泰校戶教切字從木使其後掌之使其子孫常主此官君子曰鬻拳可謂愛君矣諫以自納於刑刑猶不忘納君於善言愛君明非臣法也楚能盡其忠愛所以興○初王姚嬖于莊王生子頹王姚莊王之妾也姚姓姚羊消切嬖必計切頹徒回切子頹有寵蔿國爲之師及惠王即位周惠王莊王孫取蔿國之圃以爲囿圃園也囿苑也圃必古切又音布囿音又徐于目切苑於阮切邊伯之宮近於王宮王取之邊伯周大夫近附近之近王奪子禽祝跪與詹父田子周大夫跪求委切而收膳夫之秩膳夫石速也秩祿也收式周切故蔿國邊伯石速詹父子禽祝跪作亂因蘇氏蘇氏周大夫桓王奪其十二邑以與鄭自此以來遂不和秋五大夫奉子頹以伐王石速士也故不在五大夫數不克出奔溫溫蘇氏邑蘇子奉子頹以奔衛衛師燕師伐周燕南燕冬立子頹

經二十年春王二月夫人姜氏如莒無傳○夏齊大災無傳來告以火故書天火曰災例在宣十六年○秋七月○冬齊人伐戎無傳

傳二十年春鄭伯和王室不克克能也執燕仲父燕仲父南燕伯爲伐周故爲于僞切夏鄭伯遂以王歸王處于櫟秋王及鄭伯入于鄔鄔王所取鄭邑鄔烏古切遂入成周取其寶器而還冬王子頹享五大夫樂及徧舞皆舞六代之樂徧音遍鄭伯聞之見虢叔虢叔虢公字曰寡人聞之哀樂失時殃咎

必至今王子頹歌舞不倦樂禍也夫司寇行戮（司寇刑官樂音洛殃於良切咎其九切）君爲之不舉（去盛饌去起呂切饌仕眷切）而況敢樂禍乎奸王之位禍孰大焉臨禍忘憂憂必及之盍納王乎虢公曰寡人之願也（奸音干盍胡臘切盍何不也）

經二十有一年春王正月○夏五月辛酉鄭伯突卒（十六年與魯大夫盟于幽）○秋七月戊戌夫人姜氏薨（無傳薨寢祔姑赴於諸侯故具小君禮書之祔音附）○冬十有二月葬鄭厲公（無傳八月乃葬緩慢也）

傳二十一年春胥命于弭夏同伐王城（鄭虢相命弭鄭地弭面爾切）鄭伯將王自圉門入虢叔自北門入殺王子頹及五大夫鄭伯享王于闕西辟樂備（闕象魏也樂備備六代之樂圉魚呂切辟蒲歷切）王與之武公之略自虎牢以東（略界也鄭武公傳平王平王賜之自虎牢以東後失其地故惠王今復與之虎牢河南城皋縣復扶又切）原伯曰鄭伯效尤其亦將有咎（原伯原莊公也言效子頹舞偏樂效戶教切偏音遍）五月鄭厲公卒王巡虢守（巡守於虢國也天子省方謂之巡守守音狩本或作狩後放此）虢公爲王宮于玤（玤虢地玤蒲項切）王與之酒泉（酒泉周邑）鄭伯之享王也王以后之鞶鑑予之（后王后也鞶帶而以鏡爲飾也今西方羌胡猶然古之遺服鞶步丹切又蒲官切紳帶也鑑工暫切鏡也）虢公請器王予之爵（爵飲酒器）鄭伯由是始惡於王（爲僖二十四年鄭執王使張本惡烏路切又如字使所吏切）冬王歸自虢（傳言王之偏也）

經二十有二年春王正月肆大眚（無傳赦有罪也易稱赦過宥罪書稱眚災肆赦傳稱肆眚圍鄭皆放赦罪人蕩滌衆故以新其心有時而用之非制所常故書眚所景切盪音蕩本又作蕩滌徒歷切）○癸丑葬我小君文姜（無傳反哭成喪故稱小君）○陳人殺其公子御寇（宣公大子也陳人惡其殺大子之名故不稱君父以國討公子告御音禦本亦作禦惡烏路切注同）○夏五月○秋七月丙申及齊高傒盟于防（無傳高傒齊之貴卿而與魯之微者盟齊相謙接諸侯以崇霸業）○冬公如齊納幣（無傳公不使卿而親納幣非禮也母喪未再期而圖昏二傳不見所譏左氏又無傳失禮明故見賢遍切）

傳二十二年春陳人殺其大子御寇（傳稱人以實言）子陳公子完與顓孫奔齊（公子完陳厲公子顓孫皆御寇之黨顓音專）顓孫自齊來奔（不書非卿）齊侯使敬仲爲卿（敬仲陳公子完）辭曰羈旅之臣（羈寄也旅客也）幸若獲宥及於寬政（宥赦也）赦

其不閑於教訓而免於罪戾弛於負擔（弛去離也弛失氏切擔丁暫切離力智切）君之惠也所獲多矣敢辱高位以速官謗（敢不敢也謗布浪切）請以死告（以死自誓）詩云翹翹車乘招我以弓豈不欲往畏我友朋（逸詩也翹翹遠貌古者聘士以弓言雖貪顯命懼爲朋友所譏責翹祁堯切乘繩證切）使爲工正（掌百工之官）飲桓公酒樂（齊桓賢之故就其家會據主人之辭故言飲桓公酒飲於鴆切樂音洛）公曰以火繼之辭曰臣卜其晝未卜其夜不敢君子曰酒以成禮不繼以淫義也（夜飲爲淫樂）以君成禮弗納於淫仁也初懿氏卜妻敬仲（懿氏陳大夫龜曰卜妻七計切）其妻占之曰吉（懿氏妻）是謂鳳皇于飛和鳴鏘鏘（雄曰鳳雌曰皇雄雌俱飛相和而鳴鏘鏘然猶敬仲夫妻相隨適齊有聲譽和如字又戶卧切鏘七羊切本又作將將）有嬀之後將育于姜（嬀陳姓姜齊姓）五世其昌並于正卿八世之後莫之與京（京大也竝于本或作竝爲誤）陳厲公蔡出也（姊妹之子曰出）故蔡人殺五父而立之（五父陳佗也殺陳佗在桓六年佗徒多切又如）生敬仲其少也周史有以周易見陳侯者（周大史也少詩照切見賢遍切大音泰）陳侯使筮之（蓍曰筮筮上制切蓍音尸）遇觀（觀古亂切）䷓（坤下巽上觀）之否

左三　十四

䷋（坤下乾上否觀六四變而爲否否備矣切注同）曰是謂觀國之光利用賓于王（此周易觀卦六四爻辭易之爲書六爻皆有變象又有互體聖人隨其義而論之爻戶交切）此其代陳有國乎不在此其在異國非此其身在其子孫光遠而自他有耀者也坤土也巽風也乾天也風爲天於土上山也（巽變爲乾故曰風爲天自二至四有艮象艮爲山乾其然切）有山之材而照之以天光於是乎居土上（山則材之所生上有乾下有坤故言居土上照之以天光）故曰觀國之光利用賓于王（四爲諸侯變而之乾有國朝王之象）庭實旅百奉之以玉帛天地之美具焉故曰利用賓于王（艮爲門庭乾爲金玉坤爲布帛諸侯朝王陳摯幣之象旅陳也百言物備摯音至本又作贄同）猶有觀焉故曰其在後乎（因觀文以博占故言猶有觀非在己之言故知在子孫觀古亂切）風行而著於土故曰其在異國乎若在異國必姜姓也（姜姓之先爲堯四嶽著直略切大音泰嶽音岳）山嶽則配天物莫能兩大陳衰此其昌乎（變而象艮故知當興於大嶽之後得大嶽之權則有配天之大功故知陳必衰）及陳之初亡也（昭八年楚滅陳）陳桓子始大於齊（桓子敬仲五世孫陳無宇）其後亡也（哀十七年楚復滅陳復扶又切）成子得政

成于陳常也敬仲八世孫陳完有禮於齊子孫世不忘德德協於卜故傳備言其終始卜筮者聖人所以定猶豫決疑似因生義教者也尚書洪範通龜筮以同卿士之數南蒯卜亂而遇元吉惠伯荅以忠信則可臧會卜僭遂獲其應丘明故舉諸縣驗於行事者以示來世而君子志其善者遠者他皆放此豫皆預本亦作預蒯苦怪切僭子念切應應對之應縣音玄

經二十有三年春公至自齊無傳○祭叔來聘無傳穀梁以祭叔為祭公來聘魯天子內臣不得外交故不言使不與其得使聘祭側界切為于偽切○夏公如齊觀社齊因祭社蒐軍實故公往觀之○公至自齊無傳○荊人來聘無傳不書荊子使某來聘君臣同辭者蓋楚之始通未成其禮○公及齊侯遇于穀無傳穀音谷○蕭叔朝公無傳蕭附庸國叔名就穀朝公故不言來凡在外朝則禮不得具嘉禮不野合○秋丹桓宮楹桓公廟也楹柱也楹音盈○冬十有一月曹伯射姑卒無傳未同盟而赴以名射示亦切又音亦○十有二月甲寅公會齊侯盟于扈無傳扈鄭地在滎陽卷縣西北扈音戶卷音權字林丘權切韋昭丘云切說文丘粉切

傳二十三年夏公如齊觀社非禮也曹劌諫曰不可夫禮所以整民也故會以訓上下之則制財用之節貢賦多少朝以正班爵之義帥長幼之序征伐以討其不然不然不用命長丁丈切諸侯有王從王事王有巡守省四方以大習之大習會朝之禮非是君不舉矣君舉必書書於策書而不法後嗣何觀○晉桓莊之族偪桓叔莊伯之子孫彊盛偪迫公室偪彼力切獻公患之士蔿曰去富子則羣公子可謀也已士蔿晉大夫富子二族之富彊者蔿于委切去起呂切公曰爾試其事士蔿與羣公子謀譖富子而去之以罪狀誣之同族惡其富彊故士蔿得因而間之用其所親為譖則似信離其骨肉則黨弱羣公子終所以見滅惡烏路切間間隙之間○秋丹桓宮之楹

經二十有四年春王三月刻桓宮桷刻鏤也桷椽也將逆夫人故為盛飾刻音克桷音角字林云齊魯謂榱為桷椽直專切○葬曹莊公無傳○夏公如齊逆女無傳親逆禮也○秋公至自齊無傳○八月丁丑夫人姜氏入哀姜也公羊傳以為姜氏要公不與公俱入蓋以孟任故丁丑入而明日乃朝廟要於遙切任音壬後孟任皆同○戊寅大夫宗婦覿用幣宗婦同姓大夫之婦禮小君至大夫執贄以見明日子之道莊公欲奢夸夫人故使大夫宗婦同贄俱見覿徒歷切見也見賢遍切夸苦瓜切○大水無傳○冬戎侵曹無傳○曹羈出奔陳無傳羈蓋曹世子也先君既葬而不稱爵者微弱不能自定曹人以名赴○赤歸于曹無傳赤曹僖公也蓋為戎所納故曰歸○郭

公無傳蓋經闕誤也自曹羈以下公羊穀梁之說既不了又不可通之於左氏故不采用

傳二十四年春刻其桷皆非禮也并非丹楹故言皆御孫諫曰臣聞之儉德之共也侈惡之大也御孫魯大夫御魚呂切李亦作禦侈昌紙切又尸氏切先君有共德而君納諸大惡無乃不可乎以不丹楹刻桷為共○秋哀姜至公使宗婦覿用幣非禮也傳不言大夫唯舉非常御孫曰男贄大者玉帛公侯伯子男執玉諸侯世子附庸孤卿執帛贄眞二切小者禽鳥卿執羔大夫執鴈士執雉以章物也章所執之物別貴賤別彼列切女贄不過榛栗棗脩以告虔也榛小栗脩脯虔敬也皆取其名以示敬榛側巾切鍜脯加薑桂曰脩虔音乾今男女同贄是無別也男女之別國之大節也而由夫人亂之無乃不可乎○晉士蔿又與羣公子謀使殺游氏之二子游氏二子亦桓莊之族士蔿告晉侯曰可矣不過二年君必無患

經二十有五年春陳侯使女叔來聘女叔陳卿女氏叔字女音汝陳大夫氏○夏五月癸丑衛侯朔卒無傳惠公也書名十六年與內大夫盟于幽○六月辛未朔日有食之鼓用牲于社鼓伐鼓也用牲以祭社傳例曰非常也○伯姬歸于杞無傳不書逆女逆者微秋大水鼓用牲于社于門門國門也傳例曰亦非常也○冬公子友如陳無傳報女叔之聘諸魯出朝聘皆書如不果彼國必成其禮故不稱朝聘春秋之常也公子友莊公之母弟稱公子者史策之通言母弟至親異於他臣其相殺害則稱弟以示義至於嘉好之事兄弟篤睦非例所興或稱弟或稱公子仍舊史之文也母弟例在宣十七年好呼報切下同

經二十五年春陳女叔來聘始結陳好也嘉之故不名季友相魯原仲相陳二人有舊故女叔來聘季友冬亦報聘嘉好接備卿以字為嘉則稱名其常也相息亮切下同○夏六月辛未朔日有食之鼓用牲于社非常也非常鼓之月長歷推之辛未實七月朔置閏失所故致月錯唯正月之朔慝未作正月夏之四月周之六月謂正陽之月今書六月而傳云唯者明此月非正陽月也慝陰氣正音政正月建巳之月慝他得切夏戶雅切日有食之於是乎用幣于社伐鼓于朝日食歷之常也然食於正陽之月則諸侯用幣于社請救於上公伐鼓于朝退而自責以明陰不宜侵陽臣不宜揜君以示大義○秋大水鼓用牲于社于門亦非常也失常禮凡天災有幣無牲天災日月食大水也祈請而已不用牲也非日月之眚不鼓眚猶災也月侵日為眚陰

陽逆順之事賢聖所重故特截之（省所景切）○晉士蔿使羣公子盡殺游氏之族乃城聚而處之（聚晉邑○聚才喻切）○冬晉侯圍聚盡殺羣公子（卒如士蔿之計）

經二十有六年春公伐戎（無傳）○夏公至自伐戎（無傳）○曹殺其大夫（無傳不稱名非其罪例在文七年）○秋公會宋人齊人伐徐（無傳宋序齊上主兵）○冬十有二月癸亥朔日有食之（無傳）

傳二十六年春晉士蔿為大司空（大司空卿官）○夏士蔿城絳以深其宮（絳晉所都也今平陽絳邑縣）○秋虢人侵晉冬虢人又侵晉（為傳明年晉將伐虢張本此年經傳各自言其事者或經是直文或策書雖存而簡牘散落不究其本末故傳不復申解但言傳事而已牘徒木切究音救復扶又切解居蟹切）

經二十有七年春公會杞伯姬于洮（伯姬莊公女洮魯地洮他刀切）○夏六月公會齊侯宋公陳侯鄭伯同盟于幽○秋公子友如陳葬原仲（原仲陳大夫原氏仲字也禮臣既卒不名故稱字季友違禮會外大夫葬具見其事亦所以知譏見賢遍切）○冬杞伯姬來（傳例曰歸寧）○莒慶來逆叔姬（無傳慶莒大夫叔姬莊公女卿自為逆則稱字例在宣五年）○杞伯來朝（無傳杞稱伯者蓋為時王所黜黜勅律切濮音卜）○公會齊侯于城濮（無傳城濮衛地將討衛也）

傳二十七年春公會杞伯姬于洮非事也（非諸侯之事）天子非展義不巡守（天子巡守所以宣布德義）諸侯非民事不舉卿非君命不越竟○夏同盟于幽陳鄭服也（二十二年陳亂而齊納敬仲二十五年鄭文公之四年獲成於楚皆有二心於齊今始服也）○秋公子友如陳葬原仲非禮也原仲季友之舊也○冬杞伯姬來歸寧也（寧問父母安否）凡諸侯之女歸寧曰來出曰來歸（歸不反之辭）夫人歸寧曰如某出曰歸于某晉侯將伐虢士蔿曰不可虢公驕若驟得勝於我必弃其民（弃民不養之）無衆而後伐之欲禦我誰與夫禮樂慈愛戰所畜也夫民讓事樂和愛親哀喪而後可用也（上之使民以義讓哀樂為本言不可力强畜勅六切樂音洛强其丈切）虢弗畜也亟戰將饑（言虢不畜義讓而力戰畜勅六切亟欺冀切饑音機）王使召伯廖賜齊侯命（召伯廖王卿士賜命為侯伯召音邵廖力彫切）且請伐衛以其立子頹也（立子頹在十九年）

經二十有八年春王三月甲寅齊人伐衛衛人及齊人戰衛人敗績齊侯稱人者諱取賂而還以賤者告不地者史失之○夏四月丁未邾子瑣卒無傳未同盟而赴以名【瑣】素果切○秋荊伐鄭公會齊人宋人救鄭○冬築郿郿魯下邑傳例曰邑曰築【郿】亡悲切○大無麥禾書於冬者五穀畢入計食不足而後書也○臧孫辰告糴于齊臧孫辰魯大夫臧文仲

傳二十八年春齊侯伐衛戰敗衛師數之以王命取賂而還○

晉獻公娶于賈無子賈姬姓國也烝於齊姜齊姜武公妾【烝】之承切生秦穆夫人及大子申生又娶二女於戎大戎狐姬生重耳大戎唐叔子孫別在戎狄者【重】直龍切小戎子生夷吾小戎允姓之戎子女也晉伐驪戎驪戎男女以驪姬驪戎在京兆新豐縣其君姬姓其爵男也納女於人曰女【女】尼據切注曰女同歸生奚齊其娣生卓子驪姬嬖欲立其子賂外嬖梁五與東關嬖五姓梁名五在閨闥之外者東關嬖五別在關塞者亦名五皆大夫為獻公所嬖幸視聽外事【卓】勅角切【閨】音圭【闥】吐達切【塞】素代切使言於公曰曲沃君之宗也曲沃桓叔所封先君宗廟所在蒲與二屈君之疆也蒲今平陽蒲子二屈今平陽北屈縣或云二當為北【屈】求勿切又居勿切【疆】居良切不可以無主宗邑無主則民不威疆埸無主則啓戎心戎之生心民慢其政國之患也若使大子主曲沃而重耳夷吾主蒲與屈則可以威民而懼戎且旌君伐旌章也伐功也【埸】音亦使俱曰狄之廣莫於晉為都晉之啓土不亦宜乎廣莫狄地之曠絕也即謂蒲子北屈也言遣二公子出都之則晉方當大開土界獻公未決故復使二五俱說此美【復】扶又切晉侯說之夏使大子居曲沃重耳居蒲城夷吾居屈羣公子皆鄙鄙邊邑【說】音悅唯二姬之子在絳二五卒與驪姬譖羣公子而立奚齊晉人謂之二五耦二耜相耦廣一尺共起一伐言二人俱共墾傷晉室若此【譖】責鴆切【耜】音似【廣】古曠切【墾】苦狠切○楚令尹子元欲蠱文夫人文夫人息嬀也子元文王弟蠱惑以淫事【蠱】音古為館於其宮側而振萬焉振動也萬舞也夫人聞之泣曰先君以是舞也習戎備也今令尹不尋諸仇讎而於未亡人之側不亦異乎尋用也婦人既寡自稱未亡人御人以告子元御人夫人之侍人子元曰婦人不忘襲讎我反忘之秋子元以車六百乘伐鄭入于桔柣之門桔柣

鄭遠郊之門也輿繩證切桔戶結切跌待結切注同子元鬭御彊鬭梧耿之不比為旆子元
自與三子特造旆以居前廣充幅長尋曰旐繼旐曰旆御魚呂切本亦作禦下反禦同彊其良切又居良切梧音吾比并里切
旆蒲貝切長直亮切旐音兆鬬班王孫游王孫喜殿二子在後為殿丁見切衆車入
自純門及逵市純門鄭外郭門也逵市郭內道上市純如字逵求龜切縣門不發楚言而
出子元曰鄭有人焉縣門施於內城門鄭示楚以間暇故不閉城門出兵而效楚言故子元畏之不敢進
縣音玄諸侯救鄭楚師夜遁鄭人將奔桐丘許昌縣東北有桐丘城遁徒困切諜
告曰楚幕有烏乃止諜間也幕帳也諜音牒幕音莫間間廁之間○冬饑臧孫辰告
糴于齊禮也經書大無麥禾傳言饑又先書饑在築郿上者說始糴經在下須得糴糴式諱饑故曰禮○
築郿非都也凡邑有宗廟先君之主曰都無曰邑邑曰築都曰
城周禮四縣為都四井為邑然宗廟所在則雖邑曰都尊之也言凡邑則他築非例
經二十有九年春新延廄傳例曰書不時言新者皆舊物不可用更造之辭廄居又切○夏
鄭人侵許傳例曰無鍾鼓曰侵○秋有蜚傳例曰為災蜚扶味切○冬十有二月紀
叔姬卒無傳紀國雖滅叔姬執節守義故繫之紀賢而錄之○城諸及防諸防皆魯邑傳例曰書時也諸
非備難而興作傳皆重云時以釋之他皆放此諸今城陽諸縣難乃旦切重直用切
傳二十九年春新作延廄書不時也經無作字蓋闕凡馬日中而出日
中而入日中春秋分也治廄當以秋分因馬向入而脩之今以春作故曰不時向許亮切○夏鄭
人侵許凡師有鍾鼓曰伐聲其罪無曰侵鍾鼓無聲輕曰襲掩其不備襲遣政反
○秋有蜚為災也凡物不為災不書○冬十二月城諸及防書
時也凡土功龍見而畢務戒事也謂今九月周十一月龍星角亢晨見東方三務始畢戒民
以土功事見賢遍切亢苦浪切又音剛火見而致用大火心星次角亢見者致築作之物水昏正而
栽謂今十月定星昏而中於是樹板幹而興作栽林才代切又音再說文云築牆長板定多佞切日至而畢
日南至微陽始動故土功息○樊皮叛王樊皮周大夫樊其采地皮名
經三十年春王正月○夏次于成無傳將卑師少故直言次齊將降鄣故設備上一將子匠切降
戶江切下同鄣音章○秋七月齊人降鄣無傳鄣紀附庸國東平無鹽縣東北有鄣城小國孤危不能自
固蓋齊遥以兵威脅使降附○八月癸亥葬紀叔姬無傳以賢錄也無臣子故不作謚○九
月庚午朔日有食之鼓用牲于社無傳○冬公及齊侯遇于魯濟

濟水歷齊魯界在齊界爲齊濟在魯界爲魯濟蓋魯地〔濟〕子禮切齊人伐山戎山戎北戎

傳三十年春王命虢公討樊皮夏四月丙辰虢公入樊執樊仲皮歸于京師○楚公子元歸自伐鄭而處王宮欲遂蠱文夫人鬬射師諫則執而梏之射師鬬廉也足曰桎手曰梏〔射〕食亦切又食夜切〔梏〕古毒切〔桎〕之實切秋申公鬬班殺子元申楚縣也楚僭號縣尹皆稱公〔僭〕子念切鬬穀於菟爲令尹自毀其家以紓楚國之難鬬穀於菟令尹子文也毀減紓緩也〔穀〕奴走切楚人謂乳曰穀漢書作穀音同〔於〕音烏〔菟〕音徒〔紓〕音舒又直汝切〔難〕乃旦切○冬遇于魯濟謀山戎也以其病燕故也齊桓行霸故欲爲燕謀難燕國今薊縣〔爲〕于僞切〔薊〕音計

經三十有一年春築臺于郎無傳刺奢且非土功之時〔刺〕七賜切○夏四月薛伯卒無傳未同盟○築臺于薛無傳薛魯地○六月齊侯來獻戎捷傳例曰諸侯不相遺俘捷獲也獻奉上之辭齊侯以獻捷禮來故爲以示過〔捷〕在妾切〔遺〕唯季切傳同〔俘〕音孚○秋築臺于秦無傳東平范縣西北有秦亭○冬不雨無傳不書旱不爲災例在僖三年

傳三十一年夏六月齊侯來獻戎捷非禮也凡諸侯有四夷之功則獻于王王以警于夷以警懼夷狄音景戒懼也〔警〕中國則否諸侯不相遺俘雖夷狄俘猶不以相遺

經三十有二年春城小穀小穀齊邑濟北穀城縣城中有管仲井大都以名通者則不繫國夏宋公齊侯遇于梁丘齊善宋之請見故進其班梁丘在高平昌邑縣西南○秋七月癸巳公子牙卒牙慶父同母弟僖叔也飲酖而死不以罪告故得書卒書日者公有疾不責公不與小斂〔酖〕音鴆本亦作鴆〔與〕音預〔斂〕力驗切○八月癸亥公薨于路寢路寢正寢也公薨皆書其所詳凶變○冬十月己未子般卒子般莊公大子先君未葬故不稱爵不書殺諱之也〔般〕音班〔殺〕音試又如字下同○公子慶父如齊無傳慶父既殺子般季友出奔國人不與故懼而適齊欲以求援時無君假赴告之禮而行○狄伐邢無傳邢國在廣平襄國縣

傳三十二年春城小穀爲管仲也公感齊桓之德故爲管仲城私邑〔爲〕于僞切○齊侯爲楚伐鄭之故請會于諸侯楚伐鄭在二十八年謀爲鄭報楚宋公請先見于齊侯夏遇于梁丘○秋七月有神降于莘有神聲以接人莘虢地〔見〕賢遍切又如字〔莘〕所巾切惠王問諸內史過曰是何故也內史過周大夫〔過〕古禾切對曰國之

將興明神降之監其德也將亡神又降之觀其惡也故有得神以興亦有以亡虞夏商周皆有之王曰若之何對曰以其物享焉其至之日亦其物也〔享祭也若以甲乙日至祭先脾玉用蒼服上青以此類祭之〕王從之內史過往聞虢請命〔聞虢請於神求賜土田之命〕反曰虢必亡矣虐而聽於神神居莘六月虢公使祝應宗區史嚚享焉神賜之土田〔祝大祝宗宗人史大史應區嚚皆名○區音驅嚚五巾反〕史嚚曰虢其亡乎吾聞之國將興聽於民〔政順民心〕將亡聽於神〔求福於神〕神聰明正直而壹者也依人而行〔唯德是與〕虢多涼德其何土之能得〔涼薄也為僖二年晉滅下陽傳〕初公築臺臨黨氏〔黨氏魯大夫築臺不書不告廟○黨音掌〕見孟任從之閟〔孟任黨氏女閟不從公○閟音祕〕而以夫人言許之〔許以為夫人〕割臂盟公生子般焉雩講于梁氏女公子觀之〔雩祭天也講肄也梁氏魯大夫女公子子般妹○肄音四又以二反〕圉人犖自墻外與之戲〔圉人掌養馬者以慢言戲之○犖音洛〕子般怒使鞭之公曰不如殺之是不可鞭犖有力焉能投蓋于稷門〔蓋覆也稷門魯南城門走而自投接其屋之桷反覆門上〕公

疾問後於叔牙對曰慶父材〔蓋欲進其同母兄〕問於季友對曰臣以死奉般〔季友莊公母弟故欲立般〕公曰鄉者牙曰慶父材成季使以君命命僖叔待于鍼巫氏〔成季季友也鍼巫氏魯大夫○鄉許亮反鍼其廉反〕使鍼季酖之〔酖鳥名其羽有毒以畫酒飲之則死〕曰飲此則有後於魯國不然死且無後飲之歸及逵泉而卒立叔孫氏〔逵泉魯地不以罪誅故得立後世其祿〕八月癸亥公薨于路寢子般即位次于黨氏〔即喪位次舍也〕冬十月己未共仲使圉人犖賊子般于黨氏〔共仲慶父○共音恭〕成季奔陳〔出奔不書國亂史失之〕立閔公〔閔公莊公庶子於是年八歲〕

春秋經傳集解莊公第三

春秋經傳集解閔公第四（閔公名啓方莊公之子母叔姜史記云名開謚法在國遭難曰閔）

杜氏　盡二年

經元年春王正月○齊人救邢○夏六月辛酉葬我君莊公○秋八月公及齊侯盟于落姑（落姑齊地）季子來歸（季子公子友之字季子忠於社稷爲國人所思故賢而字之齊侯許納故曰歸）○冬齊仲孫來（仲孫齊大夫以事出疆因來省難非齊侯命故不稱使也還使齊侯務寧魯難故嘉而字之來者事實省難其志也故經但書仲孫之來而傳尋仲孫之志疆居良切難乃旦切下及傳同）

傳元年春不書即位亂故也（國亂不得成禮）○狄人伐邢（狄伐邢在往年冬）管敬仲言於齊侯曰戎狄豺狼不可厭也（敬仲管夷吾豺仕皆切狼音郎厭一鹽切）諸夏親暱不可弃也（諸夏中國也暱近也夏戶雅切暱女一切）宴安酖毒不可懷也（以宴安比之酖毒宴於見切本又作晏音同一音烏諫切酖直蔭切）詩云豈不懷歸畏此簡書（詩小雅也文王爲西伯勞來諸侯之詩勞力報切來力代切）簡書同惡相恤之謂也（同恤所惡）請救邢以從簡書齊人救邢○夏六月葬莊公亂故是以緩（十一月乃葬）○秋八月公及齊侯盟于落姑請復季友也（閔公初立國家多難以季子忠賢故請霸主而復之）齊侯許之使召諸陳公次于郎以待之（非師旅之事故不書次）季子來歸嘉之也○冬齊仲孫湫來省難書曰仲孫亦嘉之也（湫仲孫名湫子小切）仲孫歸曰不去慶父魯難未巳（時慶父亦巳還魯去起呂切下同）公曰若之何而去之對曰難不巳將自斃（斃踣也斃婢世切踣蒲北切）君其待之公曰魯可取乎對曰不可猶秉周禮周禮所以本也臣聞之國將亡本必先顛而後枝葉從之魯不弃周禮未可動也君其務寧魯難而親之親有禮因重固（能重能固則當就成之）間攜貳（離而相疑者則當因而間之間間厠之間注同）覆昏亂（覆敗也覆芳服切注同）霸王之器也（霸王所用故以器爲喻王于況切注同）○晉侯作二軍（晉本一軍見莊十六年見賢遍切）公將上軍大子申生將下軍趙夙御戎畢萬爲右（爲公御右也夙趙衰兄畢萬魏犨祖父將子匠切下及注同衰初危切犨尺由切）以滅耿滅霍滅魏（平陽皮氏縣東南有耿鄉永安縣東北有霍大山三國皆姬姓耿古幸切）還爲大子城曲沃賜趙夙耿賜畢萬魏以爲大夫士蔿曰大子不

得立矣分之都城而位以卿先爲之極又焉得立 位以卿謂將下軍〔爲〕于僞
切〔焉〕於虔切 不如逃之無使罪至爲吳大伯不亦可乎 大伯周大王之適子知其
父欲立季歷故讓位而適吳〔大〕音泰注同〔適〕丁歷切又作嫡 猶有令名與其及也 言雖去猶有令名勝
於留而及禍 且諺曰心苟無瑕何恤乎無家天若祚大子其無晉乎
爲晉殺申生傳〔諺〕音彦〔祚〕在路切 卜偃曰畢萬之後必大 卜偃晉掌卜大夫 萬盈數也
魏大名也以是始賞天啓之矣天子曰兆民諸侯曰萬民今名
之大以從盈數其必有衆 以魏從萬有衆象 初畢萬筮仕於晉遇屯䷂
震下坎上屯〔屯〕張倫切 之比䷇ 坤下坎上比屯初九變而爲比〔比〕毗志切注及下同 辛廖占之曰吉
辛廖晉大夫〔廖〕力彫切 屯固比入吉孰大焉其必蕃昌 屯險難所以爲堅固比親密所以得
入〔蕃〕音煩 震爲土 震變爲坤 車從馬 震爲車坤爲馬 足居之 震爲足 兄長之 震爲長男〔長〕丁
丈切 母覆之 坤爲母 衆歸之 坤爲衆 六體不易 初一爻變有此六義不可易也 合而能
固安而能殺公侯之卦也 比合屯固坤安震殺故曰公侯之卦 公侯之子孫必復
其始 萬畢公高之後傳爲魏之子孫衆多張本

經二年春王正月齊人遷陽 無傳陽國名蓋齊人偪徙之 ○夏五月乙酉吉
禘于莊公 三年喪畢致新死者之主於廟廟之遠主當遷入祧因是大祭以審昭穆謂之禘莊公喪制未闋時別立
廟廟成而吉祭又不於大廟故詳書以示譏〔禘〕大計切〔祧〕他彫切〔昭〕上饒切〔闋〕苦穴切〔大〕音泰 ○秋八月辛丑
公薨 實弑書薨又不地者皆史策諱之 ○九月夫人姜氏孫于邾 哀姜外淫故孫稱姜氏〔孫〕
音遜注同 ○公子慶父出奔莒 弑閔公故 ○冬齊高子來盟 無傳蓋高傒也齊侯使來
平魯亂僖公新立因遂結盟故不稱使也魯人貴之故不書名子男子之美稱〔稱〕尺證切 ○十有二月狄入
衛 書入不能有其地例在襄十三年 ○鄭弃其師 高克見惡久不得還師潰而克奔陳故克狀其事以告魯
也〔惡〕烏路切〔潰〕戶內切
傳二年春虢公敗犬戎于渭汭 犬戎西戎別在中國者渭水出隴西東入河水之隈曲曰汭〔汭〕
如銳切〔隈〕烏回切 舟之僑曰無德而祿殃也殃將至矣遂奔晉 舟之僑虢大夫
〔僑〕音喬注同 ○夏吉禘于莊公速也 ○初公傅奪卜齮田公不禁 卜齮
魯大夫也公即位年八歲知愛其傅而遂成其意以奪齮田齮忿其傅并及公故慶父因之〔齮〕魚綺切 秋八月
辛丑共仲使卜齮賊公于武闈 宮中小門謂之闈〔共〕音恭〔闈〕音韋一音暉 成季以僖

公適邾（僖公閔公庶兄成風之子）共仲奔莒乃入立之以賂求共仲于莒莒人歸之及密使公子魚請（密魯地琅邪費縣北有密如亭公子魚奚斯也費音秘又扶未切）不許哭而往共仲曰奚斯之聲也乃縊（慶父之罪雖重季子推親親之恩欲同之叔牙存孟氏之族故略其罪不書殺又不書卒縊一賜切）閔公哀姜之娣叔姜之子也故齊人立之共仲通於哀姜哀姜欲立之閔公之死也哀姜與知之故孫于邾齊人取而殺之于夷以其尸歸（爲僖元年齊人殺哀姜傳夷魯地與音預孫音遜）僖公請而葬之（哀姜之罪已重而僖公請其喪還者外欲固齊以居厚內存母子不絕之義爲國家之大計）

○成季之將生也桓公使卜楚丘之父卜之（卜楚丘魯掌卜大夫）曰男也其名曰友在公之右（在右言用事）閒于兩社爲公室輔（兩社周社亳社兩社之閒朝廷執政所在亳步各切）季氏亡則魯不昌又筮之遇大有䷍（乾下離上大有）之乾䷀（乾下乾上乾大有六五變而爲乾）曰同復于父敬如君所（筮者之辭也乾爲君父離變爲乾故曰同復於父見敬與君同）及生有文在其手曰友遂以命之（遂以爲名）○冬十二月狄人伐衛衛懿公好鶴鶴有乘軒者（軒大夫車好呼報切鶴戶各切軒許言切）將戰國人受甲者皆曰使鶴鶴實有祿位余焉能戰公與石祁子玦與甯莊子矢使守（莊子甯速也玦玉玦焉於虔切玦古穴切守手又切下告守及注同）曰以此贊國擇利而爲之（贊助也玦示以當決斷矢示以禦難斷丁亂切難乃旦切）與夫人繡衣曰聽於二子（取其文章順序）渠孔御戎子伯爲右黃夷前驅孔嬰齊殿（傳言衛侯失民有素雖臨事而戒猶無所及殿丁練切）及狄人戰于熒澤衛師敗績遂滅衛（此熒澤當在河北君死國散經不書滅者狄不能赴衛之君臣皆盡無復文告齊桓爲之告諸侯言狄已去言衛之存故但以入爲文熒戶扃切復扶又切下復逐同爲于僞切下文爲衛同）衛侯不去其旗是以甚敗狄人囚史華龍滑與禮孔以逐衛人二人曰我大史也實掌其祭不先國不可得也（夷狄畏鬼故恐言當先白神去起呂切藏也一云除也華戶化切大音泰恐丘勇切）乃先之至則告守曰不可待也（守石甯二大夫）夜與國人出狄入衛遂從之又敗諸河（衛將東走渡河狄復逐而敗之）初惠公之即位也少（蓋年十五六少詩照切）齊人使昭伯烝於宣姜不可強之（昭伯惠公庶兄宣公子頑也昭伯不可烝之承切強其丈切）生齊子戴公文公宋桓夫人許穆夫人文公爲衛之多患也

先適齊及敗宋桓公逆諸河迎衛敗衆宵濟夜度畏狄衛之遺民男女七
百有三十人益之以共滕之民爲五千人共及滕衛別邑共音恭立戴公
以廬于曹廬舍也曹衛下邑戴公名申立其年卒而立文公廬力居切曹詩作漕音同許穆夫人賦
載馳載馳詩衛風也許穆夫人痛衛之亡思歸言之不可故作詩以言志言音彦齊侯使公子無虧
帥車三百乘甲士三千人以戍曹無虧齊桓公子武孟也車甲之賦異於常故傳別見之虧
去危切乘繩證切下及注同見賢遍切歸公乘馬祭服五稱牛羊豕雞狗皆三百
與門材歸遺也四馬曰乘衣單複具曰稱門材使先立門戶稱尺證切狗音苟遺于季切單音丹複方服切歸夫
人魚軒魚軒夫人車以魚皮爲飾重錦三十兩重錦錦之熟細者以二丈雙行故曰兩三十兩三十匹也
鄭人惡高克使帥師次于河上久而弗召師潰而歸高克奔陳
高克鄭大夫也好利而不顧其君文公惡之而不能遠故使帥師而不召惡烏路切注同好呼報切遠于萬切鄭人爲
之賦清人清人詩鄭風也刺文公退臣不以道危國亡師之本爲于僞切晉侯使大子申生伐
東山皋落氏赤狄別種也皋落其氏族皋古刀切種章勇切里克諫曰大子奉冢祀社
稷之粢盛里克晉大夫冢大也粢音咨盛音成以朝夕視君膳者也膳廚膳朝如字又張遙切

左四

膳市戰切故曰冢子君行則守有守則從從曰撫軍守曰監國古之
制也夫帥師專行謀帥師者必專謀軍事守手又切下同從才用切下同監古銜切誓軍旅宣號
令也君與國政之所圖也非大子之事也國政正卿師在制命而已命將軍所
制稟命則不威專命則不孝故君之嗣適不可以帥師君失
其官帥師不威將焉用之大子統師是失其官也專命則不孝是爲帥必不威也適丁歷切本又作
嫡下配適同焉於虔切且臣聞皋落氏將戰君其舍之公曰寡人有子未
知其誰立焉不對而退見大子大子曰吾其廢乎對曰告之以
臨民謂居曲沃教之以軍旅謂將下軍將子匠反下將上軍並同不共是懼何故廢乎
且子懼不孝無懼弗得立脩己而不責人則免於難大子帥師
公衣之偏衣偏衣左右異色其半似公服共音恭本又作供難乃旦切下同公衣之偏於既切下衣身之偏衣之
純衣之尨服注衣之同佩之金玦以金爲玦狐突御戎先友爲右狐突伯行重耳外祖父也
爲申生御申生以大子將上軍梁餘子養御罕夷先丹木爲右罕夷晉下軍卿也梁餘子養爲
罕夷御羊舌大夫爲尉羊舌大夫叔向祖父也尉軍尉向許丈切先友曰衣身之偏偏半

也握兵之要謂佩金玦將上軍在此行也子其勉之偏躬無慝分身衣之半非
惡意也（慝）他得切兵要遠災威權在己可以遠害（遠）于萬切注及下同親以無災又何患焉
狐突歎曰時事之徵也歎以先友爲不知君心衣身之章也章貴賤佩衷之
旗也旗表也所以表明其中心（衷）音忠（旗）音其故敬其事則命以始賞以春夏服其身則
衣之純必以純色爲服用其衷則佩之度衷中也佩玉者士君子常度今命以時卒
閟其事也冬十二月閟之時（閟）音秘盡衣之尨服遠其躬也尨雜色（尨）莫江切佩以
金玦弃其衷也服以遠之時以閟之尨涼冬殺金寒玦離胡可
恃也寒涼殺離言無溫潤玦如環而缺不連雖欲勉之狄可盡乎梁餘子養曰帥
師者受命於廟受脤於社脤宜社之肉盛以脤器（脤）市軫切（盛）音成有常服矣不獲
而尨命可知也韋弁服軍之常也尨偏衣死而不孝不如逃之罕夷曰尨奇
無常雜色奇怪非常之服金玦不復雖復何爲君有心矣有害大子之心先丹木
曰是服也狂夫阻之阻疑也言雖狂夫猶知有疑（阻）莊呂切曰盡敵而反曰公辭（盡）子忍
切下盡敵同敵可盡乎雖盡敵猶有內讒不如違之違去也狐突欲行

行赤去也羊舌大夫曰不可違命不孝弃事不忠雖知其寒惡不可
取子其死之寒薄也大子將戰狐突諫曰不可昔辛伯諗周桓公
諗告也事在桓十八年（諗）音審說文云深諫云內寵並后外寵二政嬖子配適大都
耦國亂之本也周公弗從故及於難今亂本成矣驪姬爲內寵二五爲外寵
奚齊爲嬖子曲沃爲大都故曰亂本成矣立可必乎孝而安民子其圖之奉身爲孝不戰爲安
民與其危身以速罪也有功益見害故言孰與危身以召罪○成風聞成季之繇
乃事之成風莊公之妾僖公之母也繇卦兆之占辭（繇）直救切而屬僖公焉故成季立之
○僖之元年齊桓公遷邢于夷儀二年封衛于楚丘邢遷如歸
衛國忘亡忘其滅亡之困（屬）章欲切○衛文公大布之衣大帛之冠大布麤布大帛
厚繒蓋用諸侯諒闇之服釋文衛文公大布之衣本或作衣大布之衣誤（繒）疾陵切（諒）音良又音亮務材訓農通
商惠工加惠於百工賞其利器用敬教勸學授方任能方百事之宜也元年革車三
十乘季年乃三百乘衛文公以此年冬立齊桓公始平魯亂故傳因言齊之所以霸衛之所由興革車兵
車季年在僖二十五年蓋招懷進散故能致十倍之衆（乘）繩證切下同（進）疑諍切

春秋卷第四

春秋經傳集解僖公上第五

僖公名申莊公之子閔公之兄母成風諡法小心畏忌曰僖

杜氏　盡十五年

經元年春王正月○齊師宋師曹師次于聶北救邢齊帥諸侯之師救邢次于聶北者案兵觀釁以待事也次例在莊三年聶北邢地聶女輒切釁許覲切○夏六月邢遷于夷儀邢遷如歸故以自遷爲辭夷儀邢地○齊師宋師曹師城邢傳例曰救患分災禮也一事而再列三國於文不可言諸侯師故○秋七月戊辰夫人姜氏薨于夷齊人以歸傳在閔二年不言齊人殺諱之書地者明在外薨○楚人伐鄭荆始改號曰楚○八月公會齊侯宋公鄭伯曹伯邾人于檉檉宋地陳國陳縣西北有檉城公及其會而不書盟還不以盟告檉勑呈切○九月公敗邾師于偃偃邾地○冬十月壬午公子友帥師敗莒師于酈獲莒拏酈魯地拏莒子之弟不書弟者非卿非卿則不應書嘉季友之功故特書其所獲大夫生死皆曰獲獲例在昭二十三年酈力知切拏女居切又女加切○十有二月丁巳夫人氏之喪至自齊僖公請而葬之故告於廟而書喪至也齊侯既殺哀姜以其尸歸絕之於魯僖公請其喪而還不稱姜闕文

傳元年春不稱即位公出故也國亂身出復入故即位之禮有闕復扶又切下文同公出復入不書諱之也諱國惡禮也掩惡揚善義存君親故通有諱例皆當時臣子率意而隱故無深淺常準聖賢從之以通人理有時而聽之可也准之尹切○諸侯救邢實大夫而曰諸侯揔衆國之辭邢人潰出奔師奔聶北之師也邢潰不書不告也潰戶內切師遂逐狄人具邢器用而遷之師無私焉皆撰具還之無所私取撰仕眷切又仕轉切○夏邢遷于夷儀諸侯城之救患也凡侯伯救患分災討罪禮也侯伯州長也分穀帛分甫問切又如字長丁丈切○秋楚人伐鄭鄭即齊故也盟于犖謀救鄭也犖即檉也地有二名犖音洛又力角切○九月公敗邾師于偃虛丘之戍將歸者也虛丘邾地邾人既送哀姜還齊人殺之因戍虛丘欲以侵魯公以義求齊齊送姜氏之喪邾人懼乃歸故公要而敗之虛起居切要於遙切○冬莒人來求賂求還慶父之賂公子友敗諸酈獲莒子之弟拏非卿也嘉獲之也莒既不能爲魯討慶父受魯之賂而又重來其求無厭故嘉季友之獲而書之爲于僞切重直用切厭於鹽切公賜季友汶陽之田及費汶陽田汶水北地汶水出泰山萊蕪縣西入濟汶音問費音秘萊音來○夫人氏之喪至自齊君子以齊人之殺哀姜也爲已甚矣女子從人者也言女子有三從之義在夫家有罪非父母家所宜討也

春秋經傳集解僖公上第五（僖公名申莊公子閔公庶兄母成風諡法小心畏忌曰僖）

杜氏　盡十五年

經元年春王正月。○齊師宋師曹師次于聶北救邢。[illegible] ○夏六月邢遷于夷儀。[illegible] 齊師宋師曹師城邢。[illegible] ○秋七月戊辰夫人姜氏薨于夷齊人以歸。[illegible] ○楚人伐鄭。[illegible] ○八月公會齊侯宋公鄭伯曹伯邾人于檉。[illegible] ○九月公敗邾師于偃。[illegible] ○冬十月壬午公子友帥師敗莒師于酈獲莒拏。[illegible] ○十有二月丁巳夫人氏之喪至自齊。[illegible]

傳元年春不稱即位公出故也。[illegible] 公出復入不書諱之也諱國惡禮也。[illegible] ○諸侯救邢邢人潰出奔師師遂逐狄人具邢器用而遷之師無私焉。[illegible] ○夏邢遷于夷儀諸侯城之救患也凡侯伯救患分災討罪禮也。[illegible] ○秋楚人伐鄭鄭即齊故也盟于犖謀救鄭也。[illegible] ○九月公敗邾師于偃虛丘之戍將歸者也。[illegible] ○冬莒人來求賂公子友敗諸酈獲莒子之弟拏非卿也嘉獲之也公賜季友汶陽之田及費。[illegible] ○夫人氏之喪至自齊君子以齊人之殺哀姜也為已甚矣女子從人者也。[illegible]

經二年春王正月城楚丘（楚丘衛邑不言城衛衛未遷）○夏五月辛巳葬我小君哀姜（無傳反哭成喪故稱小君例在定十五年）○虞師晉師滅下陽（下陽虢邑在河東大陽縣晉於此始赴見經滅例在襄十三年【大】音泰一音如字【見】賢遍切）○秋九月齊侯宋公江人黃人盟于貫（貫宋地梁國蒙縣西北有貫城貫與貰字相似江國在汝南安陽縣【貫】古亂切【貰】市夜切又音世）○冬十月不雨（傳在三年）○楚人侵鄭

傳二年春諸侯城楚丘而封衛焉（君死國滅故傳言封）不書所會後也（諸侯既罷而魯後至諱不及期故以獨城為文）○晉荀息請以屈產之乘與垂棘之璧假道於虞以伐虢（荀息荀叔也屈地生良馬垂棘出美玉故以為名四馬曰乘自晉適虢途出於虞故借道【屈】求勿切又居勿切注同【乘】繩證切）公曰是吾寶也對曰若得道於虞猶外府也公曰宮之奇存焉（宮之奇虞忠臣【奇】其宜切）對曰宮之奇之為人也懦而不能強諫（懦弱也【懦】本又作懦乃亂切又乃貨切字林作偄音乃亂切【強】其良切又其丈切）且少長於君君暱之雖諫將不聽（親而狎之必輕其言【少】詩照切【長】丁丈切【暱】女乙切）乃使荀息假道於虞曰冀為不道入自顛軨伐鄍三門（前是冀伐虞至鄍鄍虞邑河東大陽縣東北有顛軨坂【軨】音零【鄍】亡丁切【坂】音反）冀之既病則亦唯君故（言虞報伐冀使病將欲假道故稱虞彊以說其心冀國名平陽皮氏縣東北有冀亭【說】音悅）今虢為不道保於逆旅（逆旅客舍也虢稍遣人分依客舍以聚眾抄晉邊邑【抄】初孝切又楚稍切強取物）以侵敝邑之南鄙敢請假道以請罪于虢（問虢伐己以何罪）虞公許之且請先伐虢（喜於厚賂而欲求媚）宮之奇諫不聽遂起師夏晉里克荀息帥師會虞師伐虢滅下陽（晉猶主兵不信虞）先書虞賄故也（虞非倡兵之首而先書之惡貪賄也【賄】呼罪切【惡】烏路切）○秋盟于貫服江黃也（江黃楚與國也始來服齊故為合諸侯【為】于偽切下同）○齊寺人貂始漏師于多魚（寺人內奄官豎貂也多魚地名闕齊桓多嬖寵內則如夫人者六人外則幸豎貂易牙之等終以此亂國傳言貂於此始擅貴寵漏洩桓公軍事為齊亂張本【寺】如字又音侍【貂】音彫【豎】上主切【擅】時戰切【洩】息列切又以制切）○虢公敗戎于桑田（桑田虢地在弘農陝縣東北）晉卜偃曰虢必亡矣亡下陽不懼而又有功是天奪之鑒（鑒所以自照）而益其疾也（驕則生疾）必易晉而不撫其民矣不可以五稔（稔熟也為下五年晉滅虢張本【易】以豉切【稔】入甚切）○冬楚人伐鄭鬬章囚鄭聃伯（經書侵傳言伐本以伐興權行侵掠為後年楚伐鄭鄭伯欲成張本【聃】乃甘切【掠】音亮）

經三年春王正月不雨夏四月不雨一時不雨則書首月傳例曰不曰旱不爲災○徐人取舒無傳徐國在下邳僮縣東南舒國今盧江舒縣而不用大師亦曰取例在襄十三年邳皮悲切僮音童盧力居切○六月雨示旱不竟夏○秋齊侯宋公江人黃人會于陽穀陽穀齊地在東平須昌縣北○冬公子友如齊涖盟涖臨也涖音利又音類○楚人伐鄭

傳三年春不雨夏六月雨自十月不雨至于五月不曰旱不爲災也周六月夏四月於播種苗稼無損夏戶雅切○秋會于陽穀謀伐楚也二年楚侵鄭故○齊侯爲陽穀之會來尋盟冬公子友如齊涖盟公時不會陽穀故齊侯自陽穀遣人詣魯來尋盟魯使上卿詣齊受盟謙也爲于僞切○楚人伐鄭鄭伯欲成孔叔不可曰齊方勤我孔叔鄭大夫勤恤鄭難難乃旦切棄德不祥祥善也○齊侯與蔡姬乘舟于囿蕩公蔡姬齊侯夫人蕩搖也囿苑也蓋魚池在苑中囿音又公懼變色禁之不可公怒歸之未之絕也蔡人嫁之爲明年齊侵蔡傳

經四年春王正月公會齊侯宋公陳侯衛侯鄭伯許男曹伯侵蔡蔡潰民逃其上曰潰例在文三年遂伐楚次于陘遂兩事之辭楚彊齊欲綏之以德故不速進而次陘陘楚地潁川召陵縣南有陘亭陘音刑召上照切○夏許男新臣卒未同盟而赴以名○楚屈完來盟于師盟于召陵屈完楚大夫也楚子遣完如師以觀齊屈完覩齊之盛因而求盟故不稱使以完來盟爲文齊桓退舍以禮楚故盟召陵召陵潁川縣也○齊人執陳轅濤塗轅濤塗陳大夫轅本亦作袁濤音挑○秋及江人黃人伐陳受齊命討陳之罪而以與謀爲文者時齊不行使魯爲主與謀例在宣七年與音預下同○八月公至自伐楚無傳告于廟○葬許穆公○冬十有二月公孫茲帥師會齊人宋人衛人鄭人許人曹人侵陳公孫茲叔牙子叔孫戴伯

傳四年春齊侯以諸侯之師侵蔡蔡潰遂伐楚楚子使與師言曰君處北海寡人處南海唯是風馬牛不相及也楚界猶未至南海因齊處北海遂稱所近牛馬風逸蓋末界之微事故以取喻近附近之近不虞君之涉吾地也何故管仲對曰昔召康公命我先君大公召康公周大保召公奭也大音泰注同奭音釋曰五侯九伯女實征之以夾輔周室五等諸侯九州之伯皆得征討其罪齊桓因此命以夸楚女音汝夾古洽切舊古協切夸苦瓜切賜我先君履東至于海西至于河南至于穆

陵北至于無棣（穆陵無棣皆齊竟也履所踐履之界齊桓又因以自言其盛〔棣〕大計切〔竟〕音境下同）爾貢
包茅不入王祭不共無以縮酒寡人是徵（包裹束也茅菁茅也束茅而灌之以酒爲縮酒尚書包匭菁茅茅之爲異未審〔共〕本亦作供音恭下及注同〔縮〕所六切〔裹〕音果〔菁〕子丁切〔包〕或作苞〔匭〕本或作軌音同）
昭王南征而不復寡人是問（昭王成王之孫南巡守涉漢船壞而溺周人諱而不赴諸侯不知其故故問之〔守〕手又切〔溺〕乃歷切）對曰貢之不入寡君之罪也敢不共給昭王之
不復君其問諸水濱（昭王時漢非楚竟故不受罪〔濱〕音賓）師進次于陘（楚不服罪故復進師〔復〕扶又切）
夏楚子使屈完如師（如陘之師觀強弱）師退次于召陵（完請盟故）齊侯
陳諸侯之師與屈完乘而觀之（乘共載〔乘〕繩證切注同）齊侯曰豈不穀是
爲先君之好是繼與不穀同好如何（言諸侯之附從非爲己乃尋先君之好謙而自廣因求與楚同好孤寡不穀諸侯謙稱〔爲〕于僞切注同〔好〕呼報切下及注同〔稱〕尺證切）對曰君惠徼福於敝
邑之社稷辱收寡君寡君之願也齊侯曰以此衆戰誰能禦之
以此攻城何城不克對曰君若以德綏諸侯誰敢不服君若以
力楚國方城以爲城漢水以爲池（方城山在南陽葉縣南以言竟土之遠漢水出武都至江夏南入江言其險固以當城池〔徼〕古堯切要也漢水以爲池一本或作漢以爲池水衍字〔葉〕始涉切〔當〕丁浪切）雖衆無
所用之屈完及諸侯盟○陳轅濤塗謂鄭申侯曰師出於陳鄭
之間國必甚病（申侯鄭大夫當有共給之費故〔費〕芳味切）若出於東方觀兵於東夷
循海而歸其可也（東夷郯莒徐夷也觀兵示威〔郯〕音談）申侯曰善濤塗以告齊侯
許之（許出東方）申侯見曰師老矣若出於東方而遇敵懼不可用也
若出於陳鄭之間共其資糧屝屨其可也（屝草屨〔見〕賢遍切〔糧〕音良〔屝〕符費切）齊
侯說與之虎牢（還以鄭邑賜之〔說〕音悅）執轅濤塗秋伐陳討不忠也（以濤塗爲誤軍道）○許穆公卒于師葬之以侯禮也（男而以侯禮加一等）凡諸侯薨
于朝會加一等（諸侯命有三等公爲上等侯伯爲中等子男爲下等）死王事加二等（謂以死勤事）於是有以袞斂（袞衣公服也謂加二等〔袞〕古本切〔斂〕力驗切）○冬叔孫戴伯帥師
會諸侯之師侵陳陳成歸轅濤塗（陳服罪故歸其大夫戴謚也）○初晉獻公
欲以驪姬爲夫人卜之不吉筮之吉公曰從筮卜人曰筮短龜
長不如從長（物生而後有象象而後有滋滋而後有數龜象筮數故象長數短〔如〕依字讀或音而據切）且其

繇曰專之渝攘公之羭繇卜兆辭渝變也攘除也羭美也言變乃除公之美〔繇〕直救切〔渝〕羊朱切下羭
同音〔攘〕如羊切一薰一蕕十年尚猶有臭薰香草蕕臭草十年有臭言善易消惡難除〔薰〕許云切〔蕕〕
音由〔易〕以豉切必不可弗聽立之生奚齊其娣生卓子及將立奚齊既
與中大夫成謀姬謂大子曰君夢齊姜必速祭之齊姜大子母言求食〔卓〕吐
濁切大子祭于曲沃歸胙于公胙祭之酒肉〔胙〕才故切公田姬寘諸宮六日
公至毒而獻之毒酒經宿輒敗而經六日明公之惑〔寘〕之豉切公祭之地地墳與犬犬
斃與小臣小臣亦斃姬泣曰賊由大子大子奔新城新城曲沃〔墳〕扶粉切
〔斃〕婢世切公殺其傅杜原款或謂大子子辭君必辯焉以六日之狀自理〔款〕苦管
切〔辯〕兵免切大子曰君非姬氏居不安食不飽我辭姬必有罪君老
矣吾又不樂吾自理則姬死姬死則君必不樂不樂爲由吾也〔樂〕音洛注同曰子其行乎大子
曰君實不察其罪被此名也以出人誰納我十二月戊申縊于
新城姬遂譖二公子曰皆知之重耳奔蒲夷吾奔屈一子時在朝爲明年
晉殺申生傳〔被〕皮寄切又皮綺切〔縊〕一賜切〔譖〕側鴆切

經五年春晉侯殺其世子申生稱晉侯惡用讒書春從告〔惡〕烏路切○杞伯姬來
朝其子無傳伯姬來寧成風也朝其子者時子年在十歲左右因有諸侯子得行朝義而卒不成朝禮故繫於母而
曰朝其子杞伯姬來絕句朝其子猶言其子朝○夏公孫茲如牟叔孫戴伯娶於牟卿非君命不越竟故奉
公命聘於牟因自爲逆〔竟〕音境〔爲〕于僞切○公及齊侯宋公陳侯衛侯鄭伯許男曹
伯會王世子于首止惠王大子鄭也不名而殊會尊之也首止衛地陳留襄邑縣東南有首鄉○秋
八月諸侯盟于首止間無異事復稱諸侯者王世子不盟故也王之世子尊與王同齊桓行霸翼戴天子
尊崇王室故殊貴世子〔復〕扶又切○鄭伯逃歸不盟逃其師而歸也逃例在文三年○楚人滅
弦弦子奔黃弦國在弋陽軑縣東南〔軑〕音大○九月戊申朔日有食之無傳○冬
晉人執虞公虞公貪璧馬之寶距絕忠諫稱人以執同於無道於其民之例例在成十五年所以罪虞且言易也
晉侯脩虞之祀而歸其職貢於王故不以滅同姓爲譏〔易〕以豉切
傳五年春王正月辛亥朔日南至周正月今十一月冬至之日日南極公既視朔
遂登觀臺以望而書禮也視朔親告朔也觀臺臺上構屋可以遠觀者也朔旦冬至歷數之所始治
歷者因此則可以明其術數審別陰陽敘事訓民魯君不能常脩此禮故善公之得禮〔觀〕古亂切注同臺以望絕句而書本或

作而書雲物非也(別)彼列切九分至啓閉必書雲物分春秋分也至冬夏至也啓立春立夏閉立秋立冬雲物氣色災變也傳重申周典不言公者日官掌其職(重)直用切爲備故也素察妖祥逆爲之備

○晉侯使以殺大子申生之故來告釋經必須告乃書初晉侯使士蔿爲二公子築蒲與屈不愼寘薪焉不謹愼(爲)于僞切下乃爲同(寘)之豉切夷吾訴之公使讓之譴讓之(譴)棄戰切士蔿稽首而對曰臣聞之無喪而慼憂必讎焉讎猶對也無戎而城讎必保焉保而守之寇讎之保又何愼焉守官廢命不敬固讎之保不忠失忠與敬何以事君詩云懷德惟寧宗子惟城詩大雅懷德以安則宗子之固若城君其脩德而固宗子何城如之言城不如固宗子三年將尋師焉焉用愼尋用也(焉)於虔切退而賦曰狐裘尨茸一國三公吾誰適從士蔿自作詩也尨茸亂貌公與二公子爲三言城不堅則爲公子所訴爲公所讓堅之則爲固讎不忠無以事君故不知所從(尨)莫江切又音蒙茸如容切(適)丁歷切及難公使寺人披伐蒲重耳曰君父之命不校乃徇曰校者吾讎也踰垣而走披斬其袪遂出奔翟袪袂也(難)乃旦切(披)普皮切(校)音教(徇)似俊切(垣)音袁(袪)起魚切(翟)音狄(袂)面世切

○夏公孫茲如牟娶焉因聘而娶故傳實其事(娶)本或作取七喻切

○會于首止會王大子鄭謀寧周也惠王以惠后故將廢大子鄭而立王子帶故齊桓帥諸侯會王大子以定其位

○齊轅宣仲怨鄭申侯之反己於召陵宣仲轅濤塗故勸之城其賜邑齊桓所賜虎牢曰美城之大名也子孫不忘吾助子請乃爲之請於諸侯而城之美樓櫓之備美設美城之絕句(櫓)音魯遂譖諸鄭伯曰美城其賜邑將以叛也申侯由是得罪爲七年鄭殺申侯傳

○秋諸侯盟王使周公召鄭伯曰吾撫女以從楚輔之以晉可以少安周公宰孔也王恨齊桓定大子之位故召鄭伯使叛齊也晉楚不服於齊故以鎭安鄭秋諸侯盟本或此下更有于首止三字非(女)音汝鄭伯喜於王命而懼其不朝於齊也故逃歸不盟孔叔止之曰國君不可以輕輕則失親孔叔鄭大夫親黨援也(輕)遣正切下同失親患必至病而乞盟所喪多矣君必悔之弗聽逃其師而歸(喪)息浪切

○楚鬬穀於菟滅弦弦子奔黃於是江黃道栢方睦於齊皆弦姻也姻外親也道國在汝南安陽縣南栢國名汝南西平縣有栢亭弦子恃之而不事楚又不設備故亡

○晉侯復假道於虞以伐

虢宮之奇諫曰虢虞之表也虢亡虞必從之晉不可啓寇不可翫(翫習也○復扶又切下六年同)一之謂甚其可再乎(爲二年假晉道滅下陽)諺所謂輔車相依脣亡齒寒者其虞虢之謂也(輔頰輔車牙車○車尺奢切)公曰晉吾宗也豈害我哉對曰大伯虞仲大王之昭也大伯不從是以不嗣(大伯虞仲皆大王之子不從父命俱讓適吳仲雍支子別封西吳虞公其後也穆生昭昭生穆以世次計故大伯虞仲於周爲昭○大音泰下及注同○昭上饒切注同後昭穆做此)虢仲虢叔王季之穆也(王季者大伯虞仲之母弟也虢仲虢叔王季之子文王之母弟也仲叔皆虢君字)爲文王卿士勳在王室藏於盟府(盟府司盟之官)將虢是滅何愛於虞且虞能親於桓莊乎其愛之也桓莊之族何罪而以爲戮不唯偪乎(桓叔莊伯之族晉獻公之從祖昆弟獻公患其偪盡殺之事在莊二十五年○偪彼力切)親以寵偪猶尚害之況以國乎公曰吾享祀豐絜神必據我(據猶安也○享與兩切)對曰臣聞之鬼神非人實親惟德是依故周書曰皇天無親惟德是輔(周書逸書)又曰黍稷非馨明德惟馨(馨香之遠聞○聞音問又如字)又曰民不易物惟德繄物(黍稷牲玉無德則不見饗有德則見饗言物一而異用○繄烏兮切是也)如是則非德民不和神不享矣神所馮依將在德矣若晉取虞而明德以薦馨香神其吐之乎弗聽許晉使宮之奇以其族行(行去也○馮皮冰切下注同○使所吏切)曰虞不臘矣(臘歲終祭衆神之名○臘力盍切)在此行也晉不更舉矣(不更舉兵)八月甲午晉侯圍上陽(上陽虢國都在弘農陝縣東南)問於卜偃曰吾其濟乎對曰克之公曰何時對曰童謠云丙之晨龍尾伏辰(龍尾尾星也日月之會曰辰日在尾故尾星伏不見○謠音遙○見賢遍切)均服振振取虢之旂(戎事上下同服振振盛貌旂軍之旌旗○均如字同也字林作袀音同○振音眞注同)鶉之賁賁天策焞焞火中成軍虢公其奔(鶉鶉火星也賁賁鳥星之體也天策傅說星時近日星微焞焞無光耀也言丙子平旦鶉火中軍事有成功也此已上皆童謠言也童齔之子未有念慮之感而會成嬉戲之言似若有馮者其言或中或否博覽之士能懼思之人兼而志之以爲鑒戒以爲將來之驗有益於世敎○鶉述春切又常倫切○賁音奔○焞他門切○說音悅○近附近之近○上時掌切○齔初問切又恥問切毀齒也○嬉許宜切○中丁仲切)其九月十月之交乎(以星驗推之知九月十月之交謂夏之九月十月也交晦朔交會○夏戶雅切下同)丙子旦日在尾月在策(是夜日月合朔於尾月行疾故至旦而過在策)鶉火中必是時也冬十二月丙子

朔晉滅虢虢公醜奔京師不書不告也周十二月夏之十月師還館于虞遂襲虞滅之執虞公及其大夫井伯以媵秦穆姬秦穆姬晉獻公女送女曰媵以屈辱之而脩虞祀且歸其職貢於王虞所命祀故書曰晉人執虞公罪虞且言易也(易)以豉切

經六年春王正月○夏公會齊侯宋公陳侯衛侯曹伯伐鄭圍新城新城鄭新密今滎陽密縣○秋楚人圍許楚子不親圍以圍者告○諸侯遂救許皆伐鄭之諸侯故不復更敘○冬公至自伐鄭無傳

傳六年春晉侯使賈華伐屈夷吾不能守盟而行賈華晉大夫非不欲校力不能守言不如重耳之賢將奔狄郤芮曰後出同走罪也嫌與重耳同謀而相隨(郤)去逆切(芮)如銳切不如之梁梁近秦而幸焉乃之梁以梁爲秦所親幸秦既大國且穆姬在焉故欲因以求入(近)附近之近○夏諸侯伐鄭以其逃首止之盟故也首止盟在五年圍新密鄭所以不時城也實新密而經言新城者鄭以非時興土功齊桓聲其罪以告諸侯○秋楚子圍許以救鄭諸侯救許乃還冬蔡穆侯將許僖公以見楚子於武城楚子退舍武城猶有忿志而諸侯各罷兵故蔡將許君歸楚武城楚地在南陽宛縣北(見)賢遍切(罷)扶罵切又扶買切(宛)於元切許男面縛銜璧大夫衰絰士輿櫬縛手於後唯見其面以璧爲贄手縛故銜之櫬棺也將受死故衰絰(衰)七雷切(絰)直結切注同(櫬)初覲切(贄)本又作質音置又如字(縛)如字書扶臥切楚子問諸逢伯逢伯楚大夫對曰昔武王克殷微子啓如是微子啓紂庶兄宋之祖也武王親釋其縛受其璧而祓之祓除凶之禮(祓)芳弗切徐音廢焚其櫬禮而命之使復其所楚子從之

經七年春齊人伐鄭○夏小邾子來朝無傳郳犂來始得王命而來朝也邾之別封故曰小邾○鄭殺其大夫申侯申侯鄭卿專利而不厭故稱名以殺罪之也例在文六年(厭)於鹽切傳同○秋七月公會齊侯宋公陳世子款鄭世子華盟于寗母高平方與縣東有泥母亭音如寗(母)如字又音無注同(方)音房(與)音預(泥)乃麗切又音寗王㕛芳切○曹伯班卒無傳五年同盟于首止○公子友如齊無傳罷盟而聘謝不敏也○冬葬曹昭公無傳

傳七年春齊人伐鄭孔叔言於鄭伯曰諺有之曰心則不競何憚於病競強也憚難也(憚)徒旦切(難)乃旦切下及八年經傳並同既不能彊又不能弱所以

斃也國危矣請下齊以救國公曰吾知其所由來矣姑少待我
欲以申侯說下戶嫁切對曰朝不及夕何以待君夏鄭殺申侯以說于
齊且用陳轅濤塗之譖也濤塗譖在五年朝如字初申侯申出也姊妹之子爲出
有寵於楚文王文王將死與之璧使行曰唯我知女女專利而
不厭予取予求不女疵瑕也從我取從我求我不以女爲罪釁女音汝下皆同疵似斯切又疾移
切釁許靳切下同後之人將求多於女謂嗣君也求多以禮義大望責之女必不免我
死女必速行無適小國將不女容焉政狹法峻狹音洽既葬出奔鄭又
有寵於厲公子文聞其死也曰古人有言曰知臣莫若君弗可
改也已○秋盟于甯母謀鄭故也管仲言於齊侯曰臣聞之招
攜以禮懷遠以德攜離也德禮不易無人不懷齊侯脩禮於諸侯
諸侯官受方物諸侯官司各於齊受其方所當貢天子之物鄭伯使大子華聽命於
會言於齊侯曰洩氏孔氏子人氏三族實違君命三族鄭大夫洩息列切
若君去之以爲成我以鄭爲內臣君亦無所不利焉以鄭事齊如封內臣
去起呂切齊侯將許之管仲曰君以禮與信屬諸侯而以姦終之無
乃不可乎子父不奸之謂禮守命共時之謂信守君命共時事奸音干共音恭
注同違此二者姦莫大焉公曰諸侯有討於鄭未捷今苟有釁從
之不亦可乎子華犯父命是其釁隙隙去逆切對曰君若綏之以德加之以訓
辭而帥諸侯以討鄭鄭將覆亡之不暇豈敢不懼若總其罪人
以臨之總將領也子華奸父之命即罪人覆芳服切鄭有辭矣何懼以大義爲辭且夫合
諸侯以崇德也會而列姦何以示後嗣列姦用子華夫諸侯之會其
德刑禮義無國不記記姦之位位會位也子華爲姦人而列在會位將爲諸侯所記君盟
替矣替廢也替他計切作而不記非盛德也君舉必書雖復齊史隱諱亦損盛德復扶又切君
其勿許鄭必受盟夫子華既爲大子而求介於大國以弱其國
亦必不免介因也介音界鄭有叔詹堵叔師叔三良爲政未可閒也齊
侯辭焉子華由是得罪於鄭冬鄭伯使請盟于齊以齊侯不聽子華故
堵丁古切又音者閒間廁之間○閏月惠王崩襄王惡大叔帶之難襄王惠王大子鄭也

大叔帶襄王弟惠后之子也有寵於惠后惠后欲立之未及而卒〔惡〕烏路切〔大〕音泰〔叔〕又作升懼不立不發喪
而告難于齊爲八年盟洮傳〔洮〕他刀切
經八年春王正月公會王人齊侯宋公衛侯許男曹伯陳世子
款盟于洮王人與諸侯盟不譏者王室有難故洮曹地鄭伯乞盟新服未與會故不序列別言乞盟〔與〕
音預下同○夏狄伐晉○秋七月禘于大廟用致夫人禘三年大祭之名大廟周
公廟致者致新死之主於廟而列之昭穆夫人淫而與弑不薨於寢於禮不應致故僖公疑其禮歷三禘今果行之嫌異常故
書之〔大〕音泰〔禘〕音試○冬十有二月丁未天王崩實以前年閏月崩以今年十二月丁未告
傳八年春盟于洮謀王室也鄭伯乞盟請服也襄王定位而後
發喪王人會洮還而後王位定○晉里克帥師梁由靡御虢射爲右以敗狄
于采桑傳言前年事也平陽北屈縣西南有采桑津〔射〕食亦切梁由靡曰狄無恥從之必
大克不恥走故可逐里克曰拒之而已無速衆狄恐怨深而羣黨來報虢射曰期
年狄必至示之弱矣夏狄伐晉報采桑之役也復期月明期年之
言驗〔期〕音基本或作朞注同○秋禘而致哀姜焉非禮也凡夫人不薨于寢

不殯于廟不赴于同不祔于姑則弗致也寢小寢同同盟將葬又不以殯過廟據經
哀姜薨葬之文則爲殯廟赴同祔姑今當以不薨于寢不得致也〔祔〕音附○冬王人來告喪難故也是
以緩有大叔帶之難○宋公疾大子茲父固請曰目夷長且仁君其立
之茲父襄公也目夷茲父庶兄子魚也〔父〕音甫〔長〕丁丈切公命子魚子魚辭曰能以國讓
仁孰大焉臣不及也且又不順立庶不順禮遂走而退
經九年春王三月丁丑宋公御說卒四同盟〔御〕魚呂切〔說〕音悅○夏公會宰
周公齊侯宋子衛侯鄭伯許男曹伯于葵丘周公宰孔也宰官周采地天子三公
不字宋子襄公也傳例曰在喪公侯曰子陳留外黃縣東有葵丘○秋七月乙酉伯姬卒無傳公羊
穀梁曰未適人故不稱國已許嫁則以成人之禮書不復殤也婦人許嫁而笄猶丈夫之冠〔復〕扶又切〔殤〕式羊切〔笄〕古兮切〔冠〕
古喚切○九月戊辰諸侯盟于葵丘夏會葵丘次伯姬卒文不相比故重言諸侯宰孔先歸不
與盟〔比〕毗志切〔重〕直用切〔與〕音預○甲子晉侯佹諸卒未同盟而赴以名甲子九月十一日戊辰十五
日也書在盟後從赴〔佹〕九委切○冬晉里克殺其君之子奚齊獻公未葬奚齊未成君故稱君
之子奚齊受命繼位無罪故里克稱名〔殺〕如字傳同公羊音試

傳九年春宋桓公卒未葬而襄公會諸侯故曰子凡在喪王曰小童公侯曰子在喪未葬也小童者童蒙幼末之稱子者繼父之辭公侯位尊上連王者下絕伯子男周康王在喪稱予一人釗禮稱亦不言小童或所稱之辭各有所施此謂王自稱之辭非諸夏所得書故經無其事傳通取舊典之文以事相接稱尺證切釗古堯切又音昭○夏會于葵丘尋盟且脩好禮也好呼報切下于好并注同及王使宰孔賜齊侯胙胙祭肉尊之比二王後胙才素切曰天子有事于文武有祭事也使孔賜伯舅胙天子謂異姓諸侯曰伯舅齊侯將下拜孔曰且有後命天子使孔曰以伯舅耋老加勞賜一級無下拜七十曰耋級等也耋田節切又他結切勞力報切級音急對曰天威不違顏咫尺言天鑒察不遠威嚴常在顏面之前八寸曰咫咫之氏切小白余敢貪天子之命無下拜小白齊侯名余身也恐隕越于下隕越顛墜也據天王居上故言恐顛隊于下隊直類切下同以遺天子羞敢不下拜下拜登受拜堂下受胙於堂上遺于季切秋齊侯盟諸侯于葵丘曰凡我同盟之人既盟之後言歸于好義取脩好故傳顯其盟辭宰孔先歸既會先諸侯去先悉薦切遇晉侯曰可無會也晉侯欲來會葵丘齊侯不務德而勤遠略故北伐山戎在莊三十一年南伐楚在四年西爲此會也東略之不知西則否矣言或向東必不能復西略復扶又切下不復會同其在亂乎君務靖亂無勤於行在存也微戒獻公言晉將有亂晉侯乃還不復會齊○九月晉獻公卒里克丕鄭欲納文公故以三公子之徒作亂丕鄭晉大夫三公子申生重耳夷吾丕普悲切初獻公使荀息傅奚齊公疾召之曰以是藐諸孤言其幼賤與諸子縣藐藐妙小切又亡角切縣音玄辱在大夫其若之何欲屈辱荀息使保護之稽首而對曰臣竭其股肱之力加之以忠貞其濟君之靈也不濟則以死繼之公曰何謂忠貞對曰公家之利知無不爲忠也送往事居耦俱無猜貞也往死者居生者耦兩也送死事生兩無疑恨所謂正也猜七才切及里克將殺奚齊先告荀息曰三怨將作三公子之徒秦晉輔之子將何如荀息曰將死之里克曰無益也荀叔曰吾與先君言矣不可以貳能欲復言而愛身乎荀叔荀息也復言言可復也雖無益也將焉辟之且人之欲善誰不如我我欲無貳而能謂人已乎言不能止里克使不忠於申生等焉於虔切及下文焉能克同冬十月里克殺

奚齊于次次喪寢書曰殺其君之子未葬也荀息將死之人曰不如立卓子而輔之荀息立公子卓以葬十一月里克殺公子卓于朝荀息死之君子曰詩所謂白圭之玷尚可磨也斯言之玷不可爲也詩大雅言此言之缺難治甚於白圭玷丁簟切又丁念切荀息有焉有此詩人重言之義○

齊侯以諸侯之師伐晉及高梁而還討晉亂也高梁晉地在平陽縣西南令不及魯故不書前已發不書例令復重發嫌霸者異於凡諸侯令力政切本又作命復扶又切重直用切○

晉郤芮使夷吾重賂秦以求入郤芮郤克祖父從夷吾者從才用切曰人實有國我何愛焉言國非已之有何愛而不以賂秦入而能民土於何有從之能得民不患無土齊隰朋帥師會秦師納晉惠公隰朋齊大夫惠公夷吾隰音習秦伯謂郤芮曰公子誰恃對曰臣聞亡人無黨有黨必有讎言夷吾無黨無黨則無讎易出易入以微勸秦易以豉切夷吾弱不好弄弄戲也好呼報切能鬬不過有節制長亦不改不識其他公謂公孫枝曰夷吾其定乎公孫枝秦大夫子桑也長丁丈切對曰臣聞之唯則定國詩曰不識不知順帝之則文王之謂也詩大

雅帝天也則法也言文王闇行自然合天之法又曰不僭不賊鮮不爲則僭過差也賊傷害也皆忌克也能不然則可爲人法則僭子念切下注同鮮息淺切無好無惡不忌不克之謂也今其言多忌克既僭而賊好呼報切又如字惡烏路切難哉言能自定難公曰忌則多怨又焉能克是吾利也其言雖多忌適足以自害不能勝人也秦伯慮其還害己故曰是吾利○宋襄公即位以公子目夷爲仁使爲左師以聽政於是宋治故魚氏世爲左師

經十年春王正月公如齊無傳○狄滅溫溫子奔衛蓋中國之狄滅而居其土地○晉里克弒其君卓及其大夫荀息弒卓在前年而以今春書者從赴也獻公既葬卓已免喪故稱君也荀息稱名者雖欲復言本無遠謀從君於昏○夏齊侯許男伐北戎無傳北戎山戎○晉殺其大夫里克奚齊者先君所命卓子又以在國嗣位罪未爲無道而里克親爲三怨之主累弒二君故稱名以罪之○秋七月○冬大雨雪無傳平地尺爲大雪雨于付切

傳十年春狄滅溫蘇子無信也蘇子叛王即狄又不能於狄狄人伐之王不救故滅蘇子奔衛蘇子周司寇蘇公之後也國於溫故曰溫子叛王事在莊十九

年○夏四月周公忌父王子黨會齊隰朋立晉侯 周公忌父周卿士王子黨
周大夫 晉侯殺里克以說 自解說不篡（篡）初患切 將殺里克公使謂之曰微
子則不及此雖然子弒二君與一大夫爲子君者不亦難乎對
曰不有廢也君何以興欲加之罪其無辭乎 言欲加己罪不患無辭 臣聞
命矣伏劒而死於是丕鄭聘于秦且謝緩賂故不及 丕鄭里克黨以在秦
故不及里克俱死 晉侯改葬共大子 共大子申生也（共）音恭本亦作恭（大）音泰 秋狐突適下
國 下國曲沃新城 遇大子大子使登僕 忽如夢而相見狐突本爲申生御故復使登車爲僕（復）扶又切
下及注同 而告之曰夷吾無禮余得請於帝矣 請罰夷吾 將以晉畀秦秦
將祀余對曰臣聞之神不歆非類民不祀非族君祀無乃殄乎
歆饗也殄絕也（畀）必利切下注同（歆）許金切 且民何罪失刑乏祀君其圖之君曰諾
吾將復請七日新城西偏將有巫者而見我焉 新城曲沃也將因巫而見（偏）匹
綿切 許之遂不見 狐突許其言申生之象亦没（見）賢遍切又如字 及期而往告之曰帝許
我罰有罪矣敝於韓 敝敗也韓晉地獨敝惠公故言罰有罪明不復以晉畀秦夷吾忌克多怨終於失國
雖改葬加謚申生猶忿傳言鬼神所馮有時而信（馮）皮冰切 丕鄭之如秦也言於秦伯曰呂
甥郤稱冀芮實爲不從若重問以召之 三子晉大夫不從不與秦賂問聘問之幣（稱）尺
證切又如字 臣出晉君君納重耳蔑不濟矣 蔑無也 冬秦伯使泠至
報問且召三子 泠至秦大夫（泠）力丁切 郤芮曰幣重而言甘誘我也遂殺
丕鄭祁舉 祁舉晉大夫 及七輿大夫 侯伯七命副車七乘（乘）繩證切 左行共華右行
賈華叔堅騅歂纍虎特宮山祁皆里丕之黨也 七子七輿大夫（行）戶剛切下同
（共）音恭（騅）音隹（歂）市專切（纍）力追切（祁）巨之切又上尸切 丕豹奔秦 丕豹丕鄭之子 言於秦伯曰晉
侯背大主而忌小怨民弗與也伐之必出 大主秦也小怨里丕（背）音佩 公曰
失衆焉能殺 謂殺里丕之黨（焉）於虔切 違禍誰能出君 爲豹辟禍也爲明年晉殺丕鄭傳
經十有一年春晉殺其大夫丕鄭父 以私怨謀亂國書名罪之書春從告 ○夏公
及夫人姜氏會齊侯于陽穀 無傳婦人送迎不出門見兄弟不踰閾與公俱會齊侯非禮（閾）音域
門限也一音況域切 ○秋八月大雩 無傳過時故書 ○冬楚人伐黃
傳十一年春晉侯使以丕鄭之亂來告 釋經書在今年 天王使召成公

內史過賜晉侯命天王周襄王召武公周卿士內史過周大夫諸侯即位天子賜之命圭爲瑞過古禾切
受玉惰過歸告王曰晉侯其無後乎王賜之命而惰於受瑞先
自棄也已其何繼之有禮國之幹也敬禮之輿也不敬則禮不
行禮不行則上下昏何以長世爲惠公不終張本惰徒卧切長直良切又丁丈切○夏
揚拒泉皋伊雒之戎同伐京師入王城焚東門揚拒泉皋皆戎邑及諸雜戎居
伊水雒水之間者今伊闕北有泉亭拒俱宇切皋古刀切王子帶召之也王子帶甘昭公也召戎欲因以篡位
秦晉伐戎以救周秋晉侯平戎于王爲二十四年天王出居鄭傳○黃人
不歸楚貢冬楚人伐黃黃人恃齊故
經十有二年春王三月庚午日有食之無傳不書朔官失之○夏楚人滅
黃○秋七月○冬十有二月丁丑陳侯杵臼卒無傳遣世子與僖公同盟甯母
及洮杵昌呂切臼其九切
傳十二年春諸侯城衛楚丘之郛懼狄難也楚丘衛國都郛郭也爲明年春狄侵
衛傳郛芳夫切難乃旦切下同○黃人恃諸侯之睦于齊也不共楚職曰自郢
及我九百里焉能害我夏楚滅黃郢楚都共音恭焉於虔切○王以戎難
故討王子帶子帶前年召戎伐周○秋王子帶奔齊冬齊侯使管夷吾平
戎于王使隰朋平戎于晉平和也前年晉救周伐戎故戎與周晉不和王以上卿之
禮饗管仲管仲辭曰臣賤有司也有天子之二守國高在國子高子
天子所命爲齊守臣皆上卿也莊二十二年高傒始見經僖二十八年國歸父乃見傳歸父之父曰懿仲高傒之子曰莊子不
知今當誰也守手又切注同見賢遍切下同若節春秋來承王命何以禮焉節時也陪
臣敢辭諸侯之臣曰陪臣陪步回切王曰舅氏伯舅之使故曰舅氏使所吏切余嘉乃勳應
乃懿德謂督不忘往踐乃職無逆朕命功勳美德可謂正而不可忘者不言位而言職
者管仲位卑而執齊政故欲以職尊之督音篤管仲受下卿之禮而還管仲不敢以職自高卒受本位
之禮君子曰管氏之世祀也宜哉讓不忘其上詩曰愷悌君子神
所勞矣詩大雅愷樂也悌易也言樂易君子爲神所勞來故世祀也管仲之後於齊沒不復見傳亦舉其無驗愷本亦
作凱開在切悌音弟本亦作弟勞力報切注同樂音洛下同易以豉切下同來力代切復扶又切
經十有三年春狄侵衛傳在前年春○夏四月葬陳宣公無傳公會齊

侯宋公陳侯衛侯鄭伯許男曹伯于鹹鹹衛地東郡濮陽縣東南有鹹城濮音卜秋九月大雩無傳書過○冬公子友如齊無傳

傳十三年春齊侯使仲孫湫聘于周且言王子帶前年王子帶奔齊言欲復之事畢不與王言不言子帶事歸復命曰未可王怒未怠其十年乎不十年王弗召也○夏會于鹹淮夷病杞故且謀王室也○秋爲戎難故諸侯戍周齊仲孫湫致之戍守也致諸侯戍卒于周爲于僞切下注欲爲同難乃旦切卒子忽切○冬晉荐饑麥禾皆不熟荐在薦切重也饑音飢使乞糴于秦秦伯謂子桑與諸乎對曰重施而報君將何求言不損秦糴直歷切施式豉切下同重施而不報其民必攜攜而討焉無衆必敗不義故民離謂百里與諸乎百里秦大夫對曰天災流行國家代有救災恤鄰道也行道有福丕鄭之子豹在秦請伐晉欲爲父報怨秦伯曰其君是惡其民何罪秦於是乎輸粟于晉自雍及絳相繼雍秦國都絳晉國都雍於用切絳古巷切命之曰汎舟之役從渭水運入河汾汎芳劍切汾扶云切

經十有四年春諸侯城緣陵緣陵杞邑辟淮夷遷都於緣陵○夏六月季姬及鄫子遇于防使鄫子來朝季姬魯女鄫夫人也鄫子本無朝志爲季姬所召而來故言使鄫子來朝鄫國今琅邪鄫縣鄫似綾切本或作繒○秋八月辛卯沙鹿崩沙鹿山名平陽元城縣東有沙鹿土山在晉地災害繫於所災所害故不繫國○狄侵鄭無傳○冬蔡侯肸卒無傳未同盟而赴以名肸許乙切

傳十四年春諸侯城緣陵而遷杞焉不書其人有闕也闕謂器用不具城池未固而去爲惠不終也澶淵之會既而無歸大夫不書而國別稱人今此揔曰諸侯君臣之辭不言城杞杞未遷也澶市然切○鄫季姬來寧公怒止之以鄫子之不朝也來寧不書而後年書歸鄫更嫁之文也明公絕鄫昏既來朝而還還戶關切夏遇于防而使來朝○秋八月辛卯沙鹿崩晉卜偃曰期年將有大咎幾亡國國主山川山崩川竭亡國之徵期音基咎其九切幾音祈又音機○冬秦饑使乞糴于晉晉人弗與慶鄭曰背施無親慶鄭晉大夫背音佩後皆同施式豉切注及下除施毛十五年皆同幸災不仁貪愛不祥怒鄰不義四德皆失何以守國虢射曰皮之不存毛將安傅虢射惠公舅也

皮以喻所許秦城毛以喻糴言既背秦施爲怨以深雖與之糴猶無皮而施毛(傅)音附慶鄭曰弃信背鄰
患孰恤之無信患作失援必斃是則然矣虢射曰無損於怨而
厚於寇不如勿與言與秦粟不足解怨適足使秦強慶鄭曰背施幸災民所弃
也近猶讎之況怨敵乎弗聽退曰君其悔是哉
經十有五年春王正月公如齊無傳諸侯五年再相朝禮也例在文十五年○楚人
伐徐○三月公會齊侯宋公陳侯衛侯鄭伯許男曹伯盟于牡
丘牡丘地名闕(牡)茂后切遂次于匡匡衛地在陳留長垣縣西南公孫敖帥師及諸侯
之大夫救徐公孫敖慶父之子諸侯既盟次匡皆遣大夫將兵救徐故不復具列國別也(復)扶又切○夏
五月日有食之○秋七月齊師曹師伐厲厲楚與國義陽隨縣北有厲鄉八月
螽無傳爲災(螽)音終本亦作螽○九月公至自會無傳○季姬歸于鄫無傳來寧不書
此書者以明中絕(中)丁仲切又如字○己卯晦震夷伯之廟夷伯魯大夫展氏之祖父夷諡伯字震者
雷電擊之大夫既卒書字(晦)音悔○冬宋人伐曹○楚人敗徐于婁林婁林徐地下邳
僮縣東南有婁亭(婁)力侯切(邳)蒲悲切○十有一月壬戌晉侯及秦伯戰于韓獲
晉侯例得大夫曰獲晉侯背施無親愎諫違卜故貶絕下從衆臣之例而不言以歸不書敗績晉師不大崩(愎)皮逼切
傳十五年春楚人伐徐徐即諸夏故也三月盟于牡丘尋葵丘
之盟且救徐也葵丘盟在九年(夏)戶雅切下注同孟穆伯帥師及諸侯之師救
徐諸侯次于匡以待之○夏五月日有食之不書朔與日官失
之也○秋伐厲以救徐也○晉侯之入也秦穆姬屬賈君焉晉侯
入在九年穆姬申生姊秦穆夫人賈君晉獻公次妃賈女也(屬)音燭且曰盡納羣公子羣公子晉武獻之族
宣二年傳曰驪姬之亂詛無畜羣公子(詛)莊據切晉侯烝於賈君又不納羣公子是以
穆姬怨之晉侯許賂中大夫中大夫里丕等國內執政(烝)之承切既而皆背之賂
秦伯以河外列城五東盡虢略南及華山內及解梁城既而不
與河外河南也東盡虢略從河南而東盡虢界也解梁城今河東解縣也華山在弘農華陰縣西南(解)音蟹注及下注同
晉饑秦輸之粟在十三年秦饑晉閉之糴在十四年故秦伯伐晉卜徒父
筮之吉徒父秦之掌龜卜者卜人而用筮不能通三易之占故據其所見雜占而言之涉河侯車敗詰
之秦伯之軍涉河則晉侯車敗也秦伯不解謂敗在己故詰之(詰)起吉切對曰乃大吉也三敗必

獲晉君其卦遇蠱䷑巽下艮上蠱音古曰千乘三去三去之餘獲其雄
狐夫狐蠱必其君也於周易利涉大川往有事也亦秦勝晉之卦也今此所言蓋卜筮書雜辭以狐蠱爲
君其義欲以諭晉惠公其象未聞乘繩證切去起居切又起據切一音起呂切下同蠱之貞風也其悔山
也內卦爲貞外卦爲悔巽爲風秦象艮爲山晉象歲云秋矣我落其實而取其材所以
克也周九月夏之七月孟秋也艮爲山山有木令歲已秋風吹落山木之實則材爲人所取實落材亡不
敗何待三敗及韓晉侯車三壞晉侯謂慶鄭曰寇深矣若之何對曰
君實深之可若何公曰不孫卜右慶鄭吉弗使惡其不孫不以爲車右此夷吾
之多忌遜音遜注同惡烏路切步揚御戎家僕徒爲右步揚郤犨之父乘小駟鄭入也
鄭所獻馬名小駟駟音四慶鄭曰古者大事必乘其產生其水土而知其人
心安其教訓而服習其道唯所納之無不如志今乘異產以從
戎事及懼而變將與人易變易人意亂氣狡憤陰血周作張脈僨興
外彊中乾狡戾也憤動也氣狡憤於外則血脈必周身而作隨氣張動外雖有彊形而內實乾竭狡古卯切僨扶粉
切張中亮切注同脈音麥僨方問切進退不可周旋不能君必悔之弗聽九月晉

侯逆秦師使韓簡視師韓簡晉大夫韓萬之孫復曰師少於我鬭士倍我
公曰何故對曰出因其資謂奔梁求秦入用其寵爲秦所納饑食其粟三
施而無報是以來也今又擊之我怠秦奮倍猶未也公曰一夫
不可狃況國乎狃忕也言辟秦則使忕來施式氏切年末注同狃女九切忕時世切又時設切遂使請
戰曰寡人不佞能合其衆而不能離也君若不還無所逃命秦
伯使公孫枝對曰君之未入寡人懼之入而未定列猶吾憂也
列位也苟列定矣敢不承命韓簡退曰吾幸而得囚得囚爲幸言必敗壬
戌戰于韓原九月十三日晉戎馬還濘而止濘泥也還便旋也小駟不調故隋泥中濘乃定
切隋大果切公號慶鄭慶鄭曰愎諫違卜愎戾也號戶刀切又戶報切固敗是求
又何逃焉遂去之梁由靡御韓簡虢射爲右輅秦伯將止之輅迎
也止獲也輅五嫁切鄭以救公誤之遂失秦伯秦獲晉侯以歸經書十一月壬戌十
四日經從赴晉大夫反首拔舍從之反首亂頭髮下垂也拔草舍止壞形毀服拔蒲末切注皆同
秦伯使辭焉曰二三子何其感也寡人之從君而西也亦晉之

妖夢是踐豈敢以至狐突不寐而與神言故謂之妖夢申生言帝許罰有罪今將晉君而西以厭息此語
踐厭也(厭)於冉切一音於甲切又於輒切下同晉大夫三拜稽首曰君履后土而戴皇
天皇天后土實聞君之言羣臣敢在下風穆姬聞晉侯將至以
大子罃弘與女簡璧登臺而履薪焉罃康公名也弘其母弟也簡璧罃弘姊妹古之宮閉者
皆居之臺以抗絕之穆姬欲自罪故登臺而荐之以薪左右上下者皆履柴乃得通(罃)於耕切(履)如字徐本作屨九具切(抗)苦
浪切(荐)在薦切切(上)時掌切使以免服衰絰逆且告免衰絰遭喪之服令行人服此服迎秦伯且告將以
耻辱自殺(免)音問又作絻音同(衰)七雷切(絰)大結切(令)力呈切下同曰上天降災使我兩君匪以
玉帛相見而以興戎若晉君朝以入則婢子夕以死夕以入則
朝以死唯君裁之乃舍諸靈臺在京兆鄠縣周之故臺亦所以抗絕令不得通外內曰上天降
災凡此四十七字檢古本皆無尋杜注亦不得有有是後人加也(鄠)音戶大夫請以入公曰獲晉侯
以厚歸也既而喪歸焉用之若將晉侯入則夫人或自殺(焉)於虔切大夫其何有
焉何有猶何得且晉人慼憂以重我謂反首拔舍天地以要我不圖晉憂
重其怒也我食吾言背天地也食消也(要)於遙切(重)直用切下皆同重怒難任背

天不祥必歸晉君任當也(任)音壬及注同公子縶曰不如殺之無聚慝焉
公子縶秦大夫恐晉歸復相聚為惡(縶)張執切又丁立切(慝)他得切(復)扶又切子桑曰歸之而質其
大子必得大成晉未可滅而殺其君祇以成惡祇適也(質)音置下注質秦同(祇)
音支且史佚有言曰無始禍史佚周武王時大史名佚(佚)音逸(大)音泰無怙亂恃人亂為己利
(怙)音戶無重怒重怒難任陵人不祥乃許晉平晉侯使郤乞告瑕
呂飴甥且召之郤乞晉大夫也瑕呂飴甥即呂甥也蓋姓瑕呂名飴甥字子金晉侯聞秦將許之平故告呂甥
召使迎己(飴)音怡子金教之言曰朝國人而以君命賞恐國人不從故先賞之於朝
且告之曰孤雖歸辱社稷矣其卜貳圉也貳代也圉惠公大子懷公眾皆哭
哀君不還國晉於是乎作爰田分公田之稅應入公者爰之於所賞之眾(爰)于元切呂甥曰君
亡之不恤而羣臣是憂惠之至也將若君何眾曰何為而可對
曰征繕以輔孺子征賦也繕治也孺子大子圉(孺)如喻切諸侯聞之喪君有君羣
臣輯睦甲兵益多好我者勸惡我者懼庶有益乎眾說晉於是
乎作州兵五黨為州州二千五百家也因此又使州長各繕甲兵(喪)息浪切後同(輯)音集又七入切(好)呼報切(惡)烏

路切說音悅長丁丈切下長男同初晉獻公筮嫁伯姬於秦遇歸妹䷵兌下震上歸妹
之睽䷥兌下離上睽歸妹上六變而為睽睽苦圭切徐音圭史蘇占之曰不吉史蘇晉卜筮之史
其繇曰士刲羊亦無衁也女承筐亦無貺也周易歸妹上六爻辭也衁血也貺賜
也刲羊士之功承筐女之職上六無應所求不獲故下刲無血上承無實不吉之象離為中女震為長男故稱士女繇直救切
刲苦圭切刺割也衁音荒筐曲方切貺音況本亦作況應應對之應下無應同中丁仲切西鄰責言不可償
也將嫁女於西而遇不吉之卦故知有責讓之言不可報償責側介切又如字償市亮切又音常歸妹之睽猶
無相也歸妹女嫁之卦睽乖離之象故曰無相相助也相息亮切震之離亦離之震二卦變而氣相
通為雷為火為嬴敗姬嬴秦姓姬晉姓震為雷離為火火動熾而害其母女嫁反害其家之象故曰為
嬴敗姬嬴音盈車說其輹火焚其旗不利行師敗于宗丘輹車下縛也丘猶邑也震
為車離為火上六爻在震則無應故車脫輹在離則失位故火焚旗言皆失車火之用也車敗旗焚故不利行師火還害母故
敗不出國近在宗邑說吐活切注同輹音福又音服寨車旁著畐音福老子所云三十輻共一轂是也車旁著復音服是車下
伏菟纏如字又扶目切歸妹睽孤寇張之弧此睽上九爻辭也處睽之極故曰睽孤失位孤絕故遇寇
難而有弓矢之警皆不吉之象難乃旦切警音景姪其從姑震為木離為火火從木生離為震妹於火為姑謂我

姪者我謂之姑謂子圉質秦姪待結切字林丈一切六年其逋逃歸其國而弃其家逋亡也家
謂子圉婦懷嬴逋補吾切明年其死於高梁之虛惠公死之明年文公入殺懷公于高梁高梁晉地在
平陽楊氏縣西南凡筮者用周易則其象可推非此而往則臨時占者或取於象或取於氣或取於時日王相以成其占若盡
附會以爻象則搆虛而不經故略言其歸趣他皆倣此虛去魚切王于況切相息亮切搆本又作講各依字讀及惠公
在秦曰先君若從史蘇之占吾不及此夫韓簡侍曰龜象也筮
數也物生而後有象象而後有滋滋而後有數先君之敗德及可
數乎史蘇是占勿從何益言龜以象示筮以數告象數相因而生然後有占占所以知吉凶不能變
吉凶故先君敗德非筮數所生雖復不從史蘇不能益禍夫音扶先君之敗德及絕句可數乎一讀及可數乎數色主切復扶
又切詩曰下民之孽匪降自天僔沓背憎職競由人詩小雅言民之有邪惡非
天所降僔沓面語背相憎疾皆人競所主作因以諷諫惠公有以召此禍也孽魚列切僔尊本切沓徒合切邪似嗟切諷方鳳
切○震夷伯之廟罪之也於是展氏有隱慝焉隱惡非法所得尊貴罪所不加
是以聖人因天地之變自然之妖以感動之知達之主則識先聖之情以自厲中下之主亦信妖祥以不妄神道助教唯此為
深知音智○冬宋人伐曹討舊怨也莊十四年曹與諸侯伐宋○楚敗徐于婁林

徐恃救也恃救齊○十月晉陰飴甥會秦伯盟于王城陰飴甥即呂甥也食采於陰故曰陰飴甥王城秦地馮翊臨晉縣東有王城今名武鄉秦伯曰晉國和乎對曰不和小人恥失其君而悼喪其親痛其親爲秦所殺不憚征繕以立圉也曰必報讎寧事戎狄君子愛其君而知其罪不憚征繕以待秦命曰必報德有死無二以此不和秦伯曰國謂君何對曰小人慼謂之不免君子恕以爲必歸小人曰我毒秦秦豈歸君毒謂三施不報君子曰我知罪矣秦必歸君貳而執之服而舍之德莫厚焉刑莫威焉服者懷德貳者畏刑此一役也言還惠公使諸侯威服復可當一事憚徒旦切之功舍如字又音捨還音環秦可以霸納而不定廢而不立以德爲怨秦不其然秦伯曰是吾心也改館晉侯饋七牢焉牛羊豕各一爲一牢饋其位切蛾析謂慶鄭曰盍行乎蛾析晉大夫也蛾魚綺切本或作蟻一音五何切析本或作哲星歷切盍戶臘切對曰陷君於敗謂呼不往諫晉師失秦伯敗而不死又使失刑非人臣也臣而不臣行將焉入十一月晉侯歸丁丑殺慶鄭而後入丁丑月二十九日焉於虔切是歲晉又饑秦伯又餼之粟曰吾怨其君而矜其民且吾聞唐叔之封也箕子曰其後必大晉其庸可冀乎唐叔晉始封之君武王之子箕子殷王帝乙之子紂之庶兄餼許氣切姑樹德焉以待能者於是秦始征晉河東置官司焉征賦也

春秋左傳卷第五

杜氏　盡二十六年

經十有六年春王正月戊申朔隕石于宋五隕落也聞其隕視之石數之五各隨
其聞見先後而記之莊七年星隕如雨見星之隕而隊於四遠若山若水不見在地之驗此則見在地之驗而不見始隕之星
史各據事而書隕于敏切數色主切隊直類切是月六鷁退飛過宋都是月隕石之月重言是月嫌同
日鷁水鳥高飛遇風而退宋人以為災告於諸侯故書是月本或作是日鷁五歷切本或作鶂音同六其數也過古禾切重直
用切傳同○三月壬申公子季友卒無傳稱字者貴之公與小斂故書日與音預斂力驗切公與小
斂本亦作公與斂○夏四月丙申鄫季姬卒無傳鄫似陵切○秋七月甲子公
孫茲卒無傳○冬十有二月公會齊侯宋公陳侯衛侯鄭伯許男
邢侯曹伯于淮臨淮郡左右邢音刑淮音懷

傳十六年春隕石于宋五隕星也但言星則嫌星使石隕故重言隕星六鷁退飛
過宋都風也六鷁遇迅風而退飛風高不為物害不記風之異迅音信又音峻疾也周內史叔興
聘于宋宋襄公問焉曰是何祥也吉凶焉在祥吉凶之先見者襄公以為石隕鷁
退能為禍福之始故問其所在焉於虔切見賢遍切又如字對曰今茲魯多大喪今茲此歲明年
齊有亂君將得諸侯而不終魯喪齊亂宋襄不終別以政刑吉凶他占知之退而告人
曰君失問是陰陽之事非吉凶所在也言石鷁陰陽錯逆所為非人所生襄公不
知陰陽而問人事故曰君失問叔興自以對非其實恐為有識所譏故退而告人錯七各切吉凶由人吾不
敢逆君故也積善餘慶積惡餘殃故曰吉凶由人君問吉凶不敢逆之故假他占以對殃於良切○夏齊
伐厲不克救徐而還十五年齊伐厲以救徐○秋狄侵晉取狐廚受鐸涉
汾及昆都因晉敗也狐廚受鐸昆都晉三邑平陽臨汾縣西北有狐谷亭汾水出大原南入河狐音胡廚
直誅切鐸徒各切汾扶云切大音泰○王以戎難告于齊齊徵諸侯而戍周十一年戎
伐京師以來遂為王室難難乃旦切注同○冬十一月乙卯鄭殺子華終管仲之言事在七年
○十二月會于淮謀鄫且東略也鄫為淮夷所病故為于偽切城鄫役人病
有夜登丘而呼曰齊有亂不果城而還役人遇厲氣不堪久駐故作妖言呼火故切還
音旋

經十有七年春齊人徐人伐英氏英於京切○夏滅項項國今汝陰項縣公在會

列遣師滅項不言師諱之(項)胡講切魯滅之也二傳以爲齊滅〇秋夫人姜氏會齊侯于卞卞今
魯國卞縣(卞)皮彥切〇九月公至自會公既見執于齊猶以會致者諱之〇冬十有二月
乙亥齊侯小白卒與僖公八同盟赴以名
傳十一年春齊人爲徐伐英氏以報婁林之役也英氏楚與國婁林役在十
五年(爲)于僞切〇夏晉大子圉爲質於秦秦歸河東而妻之秦征河東置官司在
十五年(圉)魚呂切(質)音致下同(妻)七計切下同惠公之在梁也梁伯妻之梁嬴孕過期
過卜月不産懷子曰孕(嬴)音盈下同(孕)以證切(過)古禾切卜招父與其子卜之卜招父梁大(招)上遙切
(大)音泰其子曰將生一男一女招曰然男爲人臣女爲人妾故名
男曰圉女曰妾圉養馬者不聘曰妾及子圉西質妾爲宦女焉宦事秦爲妾(宦)音患
〇師滅項師魯師淮之會公有諸侯之事未歸而取項淮會在前年冬諸侯
之事會同講禮之事齊人以爲討而止公內諱執皆言止〇秋聲姜以公故會齊
侯于卞聲姜僖公夫人齊女九月公至書曰至自會猶有諸侯之事焉且
諱之也恥見執故託會以告廟〇齊侯之夫人三王姬徐嬴蔡姬皆無子
齊侯好內多內寵內嬖如夫人者六人長衛姬生武孟武孟公子無虧
(好)呼報切(嬖)必計切(長)丁丈切下注同少衛姬生惠公公子元(少)詩照切鄭姬生孝公公子
昭葛嬴生昭公公子潘(潘)判丹切密姬生懿公公子商人宋華子生公子雍
華氏之女子姓(華)戶化切公與管仲屬孝公於宋襄公以爲大子雍巫有寵
於衛共姬因寺人貂以薦羞於公雍巫雍人名巫即易牙(屬)音燭(共)音恭亦作恭(貂)音彫(易)
音亦亦有寵公許之立武孟易牙既有寵於公爲長衛姬請立武孟(爲)于僞切管仲卒五
公子皆求立冬十月乙亥齊桓公卒乙亥月八日易牙入與寺人
貂因內寵以殺羣吏內寵內官之有權寵者而立公子無虧孝公奔宋十
二月乙亥赴辛巳夜殯六十七日乃殯(殯)必刃切
經十有八年春王正月宋公曹伯衛人邾人伐齊納孝公〇夏師
救齊無傳〇五月戊寅宋師及齊師戰于甗齊師敗績無虧既死曹衛邾先
去魯亦罷歸故宋師獨與齊戰不稱宋公不親戰也大崩曰敗績(甗)魚偃切又音言一音彥〇狄救齊無傳
救四公子之徒〇秋八月丁亥葬齊桓公十一月而葬亂故八月無丁亥日誤〇冬邢人

狄人伐衛狄稱人者史異辭傳無義例

傳十八年春宋襄公以諸侯伐齊三月齊人殺無虧以說宋說音悅又如字○鄭伯始朝于楚中國無霸故楚子賜之金既而悔之與之盟曰無以鑄兵楚金利故鑄之樹切故以鑄三鍾古者以銅爲兵傳言楚無霸者遠略○齊人將立孝公不勝四公子之徒遂與宋人戰無虧已死故曰四公子勝音升又升證切夏五月宋敗齊師于甗立孝公而還○秋八月葬齊桓公孝公立而後得葬○冬邢人狄人伐衛圍菟圃衛侯以國讓父兄子弟及朝衆曰苟能治之燬請從焉燬衛文公名菟音徒圃布古切又音布燬吁委切衆不可不聽衛侯讓而後師于訾婁陳師訾婁衛邑訾子斯切婁郎句切又郎鈞切狄師還獨言狄還則邢留距衛言邢所以終爲衛所滅○梁伯益其國而不能實也多築城邑無民以實之命曰新里秦取之

經十有九年春王三月宋人執滕子嬰齊稱人以執宋以罪及民告例在成十五年傳例不以名爲義書名及不書名皆從赴嬰於盈切○夏六月宋公曹人邾人盟于曹南無傳曹雖與盟而猶不服不肯致餼無地主之禮故不以國地而曰曹南所以及秋而見圍與音預下亦與同餼許氣切鄫子會盟于邾不及曹南之盟諸侯既罷鄫乃會之於邾故不言如會己酉邾人執鄫子用之稱人以執宋以罪及民告也鄫雖失大國會盟之信然宋用之爲罰已虐故直書用之言若用畜產也不書社赴不及也不書宋使邾而以邾自用爲文南面之君喜惡自專不得託之於他命畜許又切○秋宋人圍曹○衛人伐邢伐邢在圍曹前經書在後從赴○冬會陳人蔡人楚人鄭人盟于齊地於齊齊亦與盟○梁亡以自亡爲文非取者之罪所以惡梁惡烏路切

傳十九年春遂城而居之承前年傳取新里故不復言秦也爲此冬梁亡傳復扶又切○宋人執滕宣公○夏宋公使邾文公用鄫子于次睢之社欲以屬東夷睢水受汴東經陳留梁譙沛彭城縣入泗此水次有妖神東夷皆社祠之蓋殺人而用祭睢音雖屬音燭朱欲切譙在消切沛音貝泗音四祠音辭或音祀司馬子魚曰古者六畜不相爲用司馬子魚公子目夷也六畜不相爲用謂若祭馬先不用馬畜許又切注同爲于僞切下爲人同又如字注做此小事不用大牲而況敢用人乎祭祀以爲人也民神之主也用人其誰饗之齊桓公存三亡國以屬諸侯三亡國魯衛邢義士猶曰薄德謂欲因亂取魯緩救邢衛

今一會而虐二國之君宋公三月以會召諸侯執滕子六月而會盟其月二十二日執鄫子故云一會而虐二國之君又用諸淫昏之鬼非周社故將以求霸不亦難乎得死爲幸恐其亡國○秋衛人伐邢以執菟圃之役邢不速退所以獨見伐於是衛大旱卜有事於山川不吉有事祭也甯莊子曰昔周饑克殷而年豐今邢方無道諸侯無伯伯長也長丁丈切天其或者欲使衛討邢乎從之師興而雨○宋人圍曹討不服也曹南盟不脩地主之禮故子魚言於宋公曰文王聞崇德亂而伐之軍三旬而不降崇崇侯虎降戶江切下同退脩教而復伐之因壘而降復往攻之備不改前而崇自服復扶又切注同一本作而復之伐衍字壘力軌切軍壘詩曰刑于寡妻至于兄弟以御于家邦詩大雅言文王之教自近及遠寡妻嫡妻謂大姒也刑法也御如字治也詩音五嫁切迓也嫡或作適丁歷切大音泰姒音似今君德無乃猶有所闕而以伐人若之何盍姑內省德乎無闕而後動盍胡臘切○陳穆公請脩好於諸侯以無忘齊桓之德冬盟于齊脩桓公之好也宋襄暴虐故思齊相好呼報切下同○梁亡不書其主自取之也不書取梁者主名初梁

伯好土功亟城而弗處民罷而弗堪則曰某寇將至乃溝公宮溝塹亟欺冀切罷音皮塹七豔切曰秦將襲我民懼而潰秦遂取梁潰戶外切

經二十年春新作南門魯城南門也本名稷門僖公更高大之今猶不與諸門同改名高門也言新以易舊言作以興事皆更造之文也○夏郜子來朝無傳郜姬姓國郜古報切字林工竺切○五月乙巳西宮災無傳西宮公別宮也天火曰災例在宣十六年○鄭人入滑人例在襄十三年滑于八切○秋齊人狄人盟于邢○冬楚人伐隨

傳二十年春新作南門書不時也失土功之時○凡啟塞從時門戶道橋謂之啟城郭牆塹謂之塞皆官民之開閉不可一日而闕故特隨壞時而治之今僖公脩飾城門非開閉之急故以土功之制譏之傳嫌啟塞皆從土功之時故別起從時之例塞素則切○滑人叛鄭而服於衛夏鄭公子士洩堵寇帥師入滑公子士鄭文公子洩堵寇鄭大夫洩息列切堵丁古切王又音者○秋齊狄盟于邢爲邢謀衛難也於是衛方病邢爲于僞切難乃旦切○隨以漢東諸侯叛楚冬楚鬬穀於菟帥師伐隨取成而還君子曰隨之見伐不量力也量力而動其過鮮矣善敗由己而由人乎哉

詩曰豈不夙夜謂行多露詩召南言豈不欲早暮而行懼多露之濡已以喻違禮而行必有汙辱是亦量宜相時而動之義穀奴口切於音烏菟音徒鮮息淺切下同召上照切暮本亦作莫音暮汙汙穢之汙一音烏路切

○宋襄公欲合諸侯臧文仲聞之曰以欲從人則可屈己之欲從衆之善以人從欲鮮濟爲明年鹿上盟傳

經二十有一年春狄侵衛無傳爲邢故爲于僞切下爲邢同○宋人齊人楚人盟于鹿上鹿上宋地汝陰有原鹿縣宋爲盟主故在齊人上○夏大旱雩不獲雨故書旱自夏及秋五稼皆不收○秋宋公楚子陳侯蔡侯鄭伯許男曹伯會于盂盂宋地楚始與中國行會禮故稱爵盂音于○執宋公以伐宋不言楚執宋公者宋無德而爭盟爲諸侯所疾故揔見衆國共執之文見賢遍切○冬公伐邾無傳爲邾滅須句故句其俱切傳同○楚人使宜申來獻捷無傳獻宋捷也不言宋者秋伐宋冬來獻捷事不異年從可知不稱楚子使來不稱君命行禮獻軒建切捷在接切○十有二月癸丑公會諸侯盟于薄釋宋公諸侯既與楚共伐宋宋服故爲薄盟以釋之公本無會期閒盟而往故書公會諸侯薄如字

傳二十一年春宋人爲鹿上之盟以求諸侯於楚楚人許之公子目夷曰小國爭盟禍也宋其亡乎幸而後敗謂軍敗○夏大旱公欲焚巫尪巫尪女巫也主祈禱請雨者或以爲尪非巫也瘠病之人其面上向俗謂天哀其病恐雨入其鼻故爲之旱是以公欲焚之尪烏黃切禱丁老切或丁報切瘠在亦切向本亦作嚮許亮切故爲于僞切臧文仲曰非旱備也脩城郭貶食省用務穡勸分穡儉也勸分有無相濟貶彼檢切省所景切此其務也巫尪何爲天欲殺之則如勿生若能爲旱焚之滋甚公從之是歲也饑而不害不傷害民○秋諸侯會宋公于盂子魚曰禍其在此乎君欲已甚其何以堪之於是楚執宋公以伐宋冬會于薄以釋之子魚曰禍猶未也未足以懲君爲二十二年戰泓傳懲直升切泓烏宏切任宿須句顓臾風姓也實司太皞與有濟之祀司主也大皞伏羲四國伏羲之後故主其祀任今任城縣也顓臾在泰山南武陽縣東北須句在東平須昌縣西北四國封近於濟故世祀之任音壬注同顓音專臾羊朱切風姓也本或作皆風姓太音泰皞胡老切濟子禮切注及下注同羲本或作戲許宜切近附近之近以服事諸夏與諸夏同服王事夏戶雅切注及下同邾人滅須句須句子來奔因成風也須句成風家成風爲之言於公曰崇明祀保小寡周禮也明祀

太皞有濟之祀保安也爲于僞切蠻夷猾夏周禍也此邾滅須句而曰蠻夷昭二十三年叔孫豹曰邾又夷也然則邾雖曹姓之國迫近諸戎雜用夷禮故極言之猾夏亂諸夏猾于八切豹百教切案杜注所引是叔孫婼語今傳本多作豹恐是傳寫誤也宜爲婼婼音勑略切若封須句是崇皞濟而脩祀紓禍也紓解也爲明年伐邾傳紓音舒

經二十有二年春公伐邾取須句須句雖別國而削弱不能自通爲魯私屬若顓臾之比魯謂之社稷之臣故滅奔及反其君皆略不備書唯書伐邾取須句比必二切○夏宋公衛侯許男滕子伐鄭○秋八月丁未及邾人戰于升陘升陘魯地邾人縣公胄于魚門故深恥之不言公又不言師敗績陘音刑縣音玄胄直救切○冬十有一月己巳朔宋公及楚人戰于泓宋師敗績泓水名宋伐鄭楚救之故戰也楚告命不以主帥人數故略稱人帥所類切

傳二十二年春伐邾取須句反其君焉禮也得恤寡小之禮○三月鄭伯如楚夏宋公伐鄭子魚曰所謂禍在此矣怒鄭至楚故伐之爲下泓戰起○初平王之東遷也周幽王爲犬戎所滅平王嗣位故東遷洛邑辛有適伊川見被髮而祭於野者辛有周大夫伊川周地伊水也被皮寄切下注同曰不及百年此其戎

乎其禮先亡矣被髮而祭有象夷狄○秋秦晉遷陸渾之戎于伊川允姓之戎居陸渾在秦晉西北二國誘而徙之伊川遂從戎號至今爲陸渾縣也計此去辛有過百年而云不及百年傳舉其事驗不必其年信渾戶門切一音胡困切○晉大子圉爲質於秦將逃歸謂嬴氏曰與子歸乎嬴氏秦所妻子圉懷嬴也質音致妻七計切對曰子晉大子而辱於秦子之欲歸不亦宜乎寡君之使婢子侍執巾櫛婢子婦人之卑稱也櫛側乙切稱尺證切下之稱同以固子也從子而歸棄君命也不敢從亦不敢言遂逃歸傳終史蘇之占○富辰言於王曰請召大叔富辰周大夫大叔王子帶十二年奔齊大音泰注同詩曰協比其鄰昏姻孔云詩小雅言王者爲政先和協近親則昏姻甚相歸附也鄰猶近也孔甚也云旋也比毗志切吾兄弟之不協焉能怨諸侯之不睦王說王子帶自齊復歸于京師王召之也傳終仲孫湫之言也爲二十四年天王出居于鄭起焉於虔切說音悅湫子小切○邾人以須句故出師公卑邾不設備而禦之卑小也禦本亦作御音魚呂切臧文仲曰國無小不可易也無備雖衆不可恃也詩曰戰戰兢兢如臨深淵如履薄冰詩小雅言常戒懼易以豉切下同兢居陵切本或作矜又曰敬

之敬之天惟顯思顯明也思猶辭也命不易哉周頌言有國宜敬戒天明臨下奉承其命甚難先王之明德猶無不難也無不懼也況我小國乎君其無謂邾小蠭蠆有毒而況國乎弗聽八月丁未公及邾師戰于升陘我師敗績邾人獲公胄縣諸魚門胄兜鍪魚門邾城門蠭芳容切本又作蠭俗作蜂皆同蠆勑邁切一音粉戒切字林作蠆丑介切又他割切升陘本亦作登陘縣音玄兜丁侯切鍪莫侯切○楚人伐宋以救鄭宋公將戰大司馬固諫曰天之弃商久矣君將興之弗可赦也已大司馬固莊公之孫公孫固也言君興天所弃必不可不如赦楚勿與戰弗聽冬十一月己巳朔宋公及楚人戰于泓宋人既成列楚人未既濟未盡渡泓水司馬曰子魚也彼衆我寡及其未既濟也請擊之公曰不可既濟而未成列又以告公曰未可既陳而後擊之宋師敗績公傷股門官殲焉門官守門者師行則在君左右殲盡也陳直覲切殲將廉切國人皆咎公公曰君子不重傷不禽二毛二毛頭白有二色咎其九切重直用切下同古之為軍也不以阻隘也不因阻隘以求勝隘於賣切寡人雖亡國之餘宋商紂之後不鼓不成列恥以詐勝子魚曰君未知戰勍敵之人隘而不列天贊我也勍強也言楚在險隘不得陳列天所以佐宋勍其京切阻而鼓之不亦可乎猶有懼焉雖因阻擊之猶恐不勝且今之勍者皆吾敵也雖及胡耇獲則取之何有於二毛今之勍者謂與吾競者胡耇元老之稱耇音苟明恥教戰求殺敵也明設刑戮以恥不果傷未及死如何勿重言尚能害己若愛重傷則如勿傷愛其二毛則如服焉言苟不欲傷殺敵人則本可不須鬬三軍以利用也為利興為于偽切金鼓以聲氣也鼓以佐士衆之聲氣利而用之阻隘可也聲盛致志鼓儳可也儳巖未整陳儳仕銜仕減二切陳直覲切又如字○丙子晨鄭文夫人芊氏姜氏勞楚子於柯澤楚子還過鄭鄭文公夫人芊氏楚女姜氏齊女也柯澤鄭地芊彌爾切楚姓也勞力報切柯音哥楚子使師縉示之俘馘師縉楚樂師也俘所得囚馘所截耳縉音晉俘芳扶切馘古獲切君子曰非禮也婦人送迎不出門見兄弟不踰閾閾門限閾音域一音況域切戎事不邇女器邇近也器物也言俘馘非近婦人之物近如字又附近之近下同丁丑楚子入享于鄭為鄭所饗為于偽切九獻用上公之禮九獻酒而禮畢庭實旅百庭中所陳品數百也加籩豆六品食物六品加於籩豆

籩豆禮食器享畢夜出文芊送于軍取鄭二姬以歸二姬文芊女也叔詹曰
楚王其不沒乎不以壽終詹章廉切沒門忽切爲禮卒於無別無別不可謂禮
將何以沒諸侯是以知其不遂霸也言楚子所以師敗城濮終爲商臣所弒卒子恤切別
彼列切下同濮音卜弒音試
經二十有三年春齊侯伐宋圍緡緡宋邑高平昌邑縣東南有東緡城緡亡巾切○夏
五月庚寅宋公茲父卒三同盟○秋楚人伐陳○冬十有一月杞
子卒傳例曰不書名未同盟也杞入春秋稱侯莊二十七年絀稱伯至此用夷禮貶稱子絀本又作黜敕律切
傳二十三年春齊侯伐宋圍緡以討其不與盟于齊也十九年盟于齊
以無忘桓公之德而宋獨不會復召齊人共盟鹿上故今討之與音預復扶又切下不復成嫁同
襄公卒傷於泓故也終子魚之言得死爲幸○秋楚成得臣帥師伐陳討
其貳於宋也成得臣子玉也遂取焦夷城頓而還焦今譙縣也夷一名城父今譙郡城父縣
二地皆陳邑頓國今汝陰南頓縣焦子消切子文以爲之功使爲令尹叔伯曰子若
國何叔伯楚大夫薳呂臣也以爲子玉不任令尹薳爲彼切任音壬對曰吾以靖國也夫有大

功而無貴仕貴仕貴位靖音靜其人能靖者與有幾言必矜功爲亂不可不賞釋文其人
能靖者與絕句與音餘幾居豈切○九月晉惠公卒經在明年從赴懷公命無從亡人
懷公子圉亡人重耳重直龍切期期而不至無赦狐突之子毛及偃從重耳在
秦弗召偃子犯也期期上如字下音基一本亦作朞下注朞期亦音基從才用切後皆同冬懷公執狐
突曰子來則免未期而執突以不召子故對曰子之能仕父教之忠古之制
也策名委質貳乃辟也名書於所臣之策屈膝而君事之則不可以貳辟罪也質如字辟婢亦切注同
膝辛七切今臣之子名在重耳有年數矣若又召之教之貳也父教
子貳何以事君刑之不濫君之明也臣之願也淫刑以逞誰則
無罪臣聞命矣乃殺之卜偃稱疾不出曰周書有之乃大明服
周書康誥言君能大明則民服濫力暫切己則不明而殺人以逞不亦難乎民不見
德而唯戮是聞其何後之有言懷公必無後於晉爲二十四年殺懷公張本逞本亦作呈勑景切
○十一月杞成公卒書曰子杞夷也成公始行夷禮以終其身故於卒貶之杞實稱伯仲
尼以文貶稱子故傳言書曰子以明之不書名未同盟也凡諸侯同盟死則赴以

名禮也隱七年已見今重發不書名者疑降爵故也此凡又爲國史承告而書例〔見〕賢遍切〔重〕直用切下重詳同赴以名則亦書之謂未同盟不然則否謂同盟而不以名告辟不敏也敏猶審也同盟然後告名赴者之禮也承赴然後書策史官之制也內外之宜不同故傳重詳其義○晉公子重耳之及於難也晉人伐諸蒲城事在五年〔難〕乃旦切蒲城人欲戰重耳不可曰保君父之命而享其生祿享受也保猶恃也於是乎得人以祿致衆有人而校罪莫大焉校報也〔校〕音教吾其奔也遂奔狄從者狐偃趙衰衰趙夙弟〔衰〕初危切顛頡魏武子武子魏犨〔頡〕戶結切〔犨〕尺由切司空季子胥臣臼季也時狐毛賈佗皆從而獨舉此五人賢而有大功〔臼〕其久切〔佗〕徒何切狄人伐廧咎如廧咎如赤狄之別種也隗姓〔廧〕在良切〔咎〕古刀切〔隗〕五罪切下文皆同獲其二女叔隗季隗納諸公子公子取季隗生伯儵叔劉以叔隗妻趙衰生盾盾趙宣子〔儵〕直由切本又作儵音同〔妻〕七計切下同〔盾〕徒本切將適齊謂季隗曰待我二十五年不來而後嫁對曰我二十五年矣又如是而嫁則就木焉言將死入木不復成嫁請待子處狄十二年而行以五年奔狄至十六年而去請待子絕句過衞衞文公不禮焉出於五鹿五鹿衞地今衞縣西北有地名五鹿陽平元城縣東亦有五鹿乞食於野人野人與之塊公子怒欲鞭之子犯曰天賜也得土有國之祥故以爲天賜〔塊〕苦對切又苦怪切稽首受而載之及齊齊桓公妻之有馬二十乘四馬爲乘八十匹也〔乘〕繩證切注及下皆同公子安之從者以爲不可將行謀於桑下齊桓既卒知孝公不可恃故蠶妾在其上以告姜氏姜氏殺之姜氏重耳妻恐孝公怒其去故殺妾以滅口而謂公子曰子有四方之志其聞之者吾殺之矣公子曰無之姜曰行也懷與安實敗名公子不可姜與子犯謀醉而遣之醒以戈逐子犯無去志故怒〔敗〕必邁切〔醒〕星頂切及曹曹共公聞其駢脅欲觀其裸浴薄而觀之薄迫也駢脅合幹〔共〕音恭聞其駢脅絕句〔駢〕薄賢切〔脅〕許業切說文駢脅并也廣雅云脅幹謂之肋通俗云腋下謂之脅欲觀如字絕句一讀至裸字絕句〔裸〕力果切又戶化切〔浴〕音欲〔薄〕如字國語云薄簾也〔幹〕古旦切僖負羈之妻曰吾觀晉公子之從者皆足以相國若以相若遂以爲傳相〔羈〕紀宜切〔相〕息亮切夫子必反其國反其國必得志於諸侯得志於諸侯而誅無禮曹其首也子盍蚤自貳焉自貳自別異於曹〔盍〕戶臘切〔蚤〕音早〔別〕彼列切乃饋盤飧寘璧焉臣無竟外之交故用

盤藏璧飧中不欲令人見〔饋〕其貴切遺也〔飧〕音孫說文云餔也字林云水澆飯也〔貭〕之敢切〔竟〕音境〔令〕力呈切公子受

飧反璧及宋宋襄公贈之以馬二十乘贈送也及鄭鄭文公亦不

禮焉叔詹諫曰臣聞天之所啓人弗及也啓開也晉公子有三焉天

其或者將建諸君其禮焉男女同姓其生不蕃蕃息也〔蕃〕音煩注同晉公

子姬出也而至于今一也犬戎狐姬之子故曰姬出離外之患出奔在外而天不

靖晉國殆將啓之二也有三士足以上人而從之三也國語狐偃趙衰賈佗三人皆卿才〔從〕如字一音才用切

晉鄭同儕儕等也〔儕〕仕皆切其過子弟固將禮焉

況天之所啓乎弗聽及楚楚子饗之曰公子若反晉國則何以

報不穀對曰子女玉帛則君有之羽毛齒革則君地生焉其波

及晉國者君之餘也其何以報君曰雖然何以報我對曰若以

君之靈得反晉國晉楚治兵遇於中原其辟君三舍若不獲命

三退不得楚止命也〔過〕古禾切其左執鞭弭右屬櫜鞬以與君周旋弭弓末無緣者櫜以受箭鞬以受弓屬著也周旋相追逐也〔弭〕莫爾切〔屬〕音燭注同〔櫜〕古刀切〔鞬〕九言切〔緣〕悅絹切子玉請殺之畏其

志大楚子曰晉公子廣而儉志廣而體儉文而有禮其從者肅而寬肅敬

也忠而能力晉侯無親外內惡之晉侯惠公也〔惡〕烏路切吾聞姬姓唐叔

之後其後衰者也其將由晉公子乎天將興之誰能廢之違天

必有大咎乃送諸秦秦伯納女五人懷嬴與焉懷嬴子圉妻子圉謚懷公故號

爲懷嬴〔咎〕其九切〔與〕音預奉匜沃盥既而揮之匜沃盥器也揮湔也〔奉〕芳勇切〔匜〕以支切一音以紙切說文云似羹魁柄中有道可注水〔盥〕古緩切〔揮〕許韋切〔湔〕音薦王音贊一音箭又音牋怒曰秦晉匹也何以

卑我匹敵也公子懼降服而囚去上服自拘囚以謝之〔去〕起呂切〔拘〕音俱他日公享

之子犯曰吾不如衰之文也有文辭也〔衰〕初危切下同請使衰從公子賦河

水河水逸詩義取河水朝宗于海海喻秦公賦六月六月詩小雅道尹吉甫佐宣王征伐喻公子還晉必能匡王國古者禮會因古詩以見意故言賦詩斷章也其全稱詩篇者多取首章之義他皆放此〔見〕賢遍切〔斷〕端緩切趙衰

曰重耳拜賜公子降拜稽首公降一級而辭焉下階一級辭公子稽首〔級〕音急

衰曰君稱所以佐天子者命重耳重耳敢不拜詩首章言匡王國次章言佐天子故趙衰因通言之為明年秦伯納之張本

經二十有四年春王正月。夏狄伐鄭。秋七月。冬天王出居于鄭襄王也天子以天下爲家故所在稱居天子無外而書出者譏王蔽於匹夫之孝不顧天下之重因其辟母弟之難書出言其自絶於周蔽必世切難乃旦切。晉侯夷吾卒文公定位而後告未同盟而赴以名

傳二十四年春王正月秦伯納之不書不告入也納重耳也及河子犯以璧授公子曰臣負羈絏從君巡於天下羈馬羈絏馬繮羈紀宜切說文云馬絡頭也絏息列切說文云繫也從才用切又如字繮居良切臣之罪甚多矣臣猶知之而況君乎請由此亡公子曰所不與舅氏同心者有如白水子犯重耳舅也言與舅氏同心之明如此白水猶詩言謂予不信有如皦日皦古了切投其璧于河質信於河質音致濟河圍令狐入桑泉取臼衰桑泉在河東解縣西解縣東南有臼城令力丁切衰初危切解戶買切二月甲午晉師軍于廬柳懷公遣軍距重耳廬力居切柳力久切秦伯使公子縶如晉師師退軍于郇解縣西北有郇城縶張立切郇音荀辛丑狐偃及秦晉之大夫盟于郇壬寅公子入于晉師丙午入于曲沃丁未朝于武宮文公之祖武公廟戊申使殺懷公于高梁不書亦不告也懷公奔高梁高梁在平陽楊縣西南冉發不告者言外諸侯入及見殺亦皆須告乃書于策呂郤畏偪呂甥郤芮惠公舊臣故畏爲文公所偪害偪彼力切爲于僞切將焚公宮而弒晉侯寺人披請見公使讓之且辭焉辭不見弒音試又作殺寺本又作侍披普皮切見賢遍切曰蒲城之役在五年君命一宿女即至即日至女音汝下皆同其後余從狄君以田渭濱田獵渭音謂水名濱音賓女爲惠公來求殺余命女三宿女中宿至雖有君命何其速也夫袪猶在披所斬文公衣袂也爲于僞切中丁仲切下及注同女中宿至或無至字袪起魚切袂減制切女其行乎對曰臣謂君之入也其知之矣知君人之道若猶未也又將及難君命無二古之制也除君之惡唯力是視蒲人狄人余何有焉當二君出君爲蒲狄之人於我有何義難乃旦切下及注皆同今君即位其無蒲狄乎齊桓公置射鉤而使管仲相乾時之役管仲射桓公中帶射食亦切注同相息亮切君若易之何辱命焉言若反齊桓已將自去不須辱君命行者甚衆豈唯刑臣披奄人故稱刑臣甚衆一本甚作其公見之以難告告呂郤欲焚公宮三月晉侯潛會秦伯于王城己丑晦公宮火瑕甥郤芮不獲公乃如河上秦伯誘而殺之晉侯逆夫人

嬴氏以歸（秦穆公女文嬴也）秦伯送衛於晉三千人實紀綱之僕（新有呂郤之難國未輯睦故以兵衛文公諸門戶僕隸之事皆秦卒共之爲之紀綱輯音集又七入切本亦作集卒子忽切共音恭李亦作供）

初晉侯之豎頭須守藏者也（頭須一曰里鳧須豎左右小吏豎上注切藏才浪切下同鳧房乎切韓詩外傳云晉文公亡過曹里鳧須從因盜重耳資而亡重耳無糧餒不能行介子推割股以食重耳然後能行）其出也竊藏以逃（文公出時）盡用以求納之（求納文公）及入求見公辭焉以沐謂僕人曰沐則心覆心覆則圖反宜吾不得見也居者爲社稷之守行者爲羈紲之僕其亦可也何必罪居者國君而讎匹夫懼者甚衆矣僕人以告公遽見之（言弃小怨所以能安衆見賢遍切下得見同覆芳服切下同守手又切又如字甚或作其）

狄人歸季隗于晉而請其二子（二子伯儵叔劉）文公妻趙衰生原同屛括樓嬰（原屛樓三子之邑妻七計切屛步丁切括古活切）趙姬請逆盾與其母（趙姬文公女也盾狄女叔隗之子）子餘辭（子餘趙衰字）趙姬曰得寵而忘舊何以使人必逆之固請許之來以盾爲才固請于公以爲嫡子而使其三子下之以叔隗爲內子而巳下之（卿之嫡妻爲內子皆非此年事蓋因狄人歸季隗遂終言叔隗嫡亦作適丁歷切下遐嫁切下同）

晉侯賞從亡者介之推不言祿祿亦弗及（介推文公微臣之語助從才用切）推曰獻公之子九人唯君在矣惠懷無親外內弃之天未絕晉必將有主主晉祀者非君而誰天實置之而二三子以爲己力不亦誣乎竊人之財猶謂之盜況貪天之功以爲己功乎下義其罪上賞其姦上下相蒙（蒙欺也）難與處矣其母曰盍亦求之以死誰懟對曰尤而效之罪又甚焉且出怨言不食其食（怨言謂上下相蒙難與處盍戶臘切懟直類切）其母曰亦使知之若何（既不求之且欲令推達言於文公）對曰言身之文也身將隱焉用文之是求顯也其母曰能如是乎與女偕隱（偕俱也焉於虔切女音汝）遂隱而死晉侯求之不獲以緜上爲之田曰以志吾過且旌善人（旌表也西河界休縣南有地名緜上）

○鄭之入滑也滑人聽命（入滑在二十年）師還又即衛鄭公子士洩堵俞彌帥師伐滑（堵俞彌鄭大夫）王使伯服游孫伯如鄭請盟（二子周大夫）鄭伯怨惠王之入而不與厲公爵也（事在莊二十一年）又怨襄王之

與衛滑也 怨王助衛爲滑請爲于僞切 故不聽王命而執二子王怒將以狄伐鄭富辰諫曰不可臣聞之大上以德撫民 無親踈也聽吐定切而執二子本或作而執其二子行字也大音泰 其次親親以相及也 先親以及踈推恩以成義 昔周公弔二叔之不咸故封建親戚以蕃屏周 弔傷也咸同也周公傷夏殷之叔世踈其親戚以至滅亡故廣封其兄弟蕃方元切 管蔡郕霍魯衛毛聃郜雍曹滕畢原酆郇文之昭也 十六國皆文王子也管國在滎陽京縣東北雍國在河內山陽縣西畢國在長安縣西北酆國在始平鄠縣東郇音成聃乃甘切雍於用切注同酆音豐郇音荀 邘晉應韓武之穆也 四國皆武王子應國在襄陽城父縣西南韓國在河東郡界河內野王縣西北有邘城邘音于 凡蔣邢茅胙祭周公之胤也 胤嗣也蔣在弋陽期思縣高平昌邑縣西有茅鄉東郡燕縣西南有胙亭蔣將丈切茅亡交切胙才故切下注祭胙同祭側界切 召穆公思周德之不類故糾合宗族于成周而作詩 類善也糾收也召穆公周卿士名虎召采地扶風雍縣東南有召亭周厲王之時周德衰微兄弟道缺召穆公于東都收會宗族特作此周公之樂歌常棣詩屬小雅召上照切注同糾居黝切棣大計切字林大內切 曰常棣之華鄂不韡韡 常棣棣也鄂鄂然華外發不韡韡言韡韡以喻兄弟和睦則強盛而有光輝韡韡然鄂五各切不方九切韡韋鬼切 凡今之人莫如兄弟 言致韡韡之盛莫如親兄弟 其四章曰兄弟鬩于牆外禦其侮 鬩訟爭貌言內雖不和猶宜外扞異族之侵侮鬩呼歷切毛詩傳云很也禦魚呂切下同侮亡甫切詩作務爭爭鬭之爭本又作諍扞戶旦切 如是則兄弟雖有小忿不廢懿親 懿美也 今天子不忍小忿以棄鄭親其若之何庸勳親親暱近尊賢德之大者也 庸用也暱親也暱女乙切 即聾從昧與頑用嚚姦之大者也棄德崇姦禍之大者也 崇聚也聾鹿工切昧音妹嚚魚巾切 鄭有平惠之勳 平王東遷晉鄭是依惠王出奔虢鄭納之是其勳也 又有厲宣之親 鄭始封之祖桓公友周厲王之子宣王之母弟 棄嬖寵而用三良 七年殺嬖臣申侯十六年殺寵子子華也三良叔詹堵叔師叔所謂尊賢堵丁古切又音者 於諸姬爲近 道近當暱之 四德具矣耳不聽五聲之和爲聾目不別五色之章爲昧心不則德義之經爲頑口不道忠信之言爲嚚狄皆則之四姦具矣周之有懿德也猶曰莫如兄弟故封建之 當周公時故言周之有懿德別彼列切 其懷柔天下也猶懼有外侮扞禦侮者莫如親親故以親屏周召穆公亦云 周公作詩召公歌之故言亦云 今周德既衰於是乎又渝周召以從

諸姦無乃不可乎變周召親兄弟之道渝羊朱切民未忘禍王又興之前有子頹之亂
中有叔帶召狄故曰民未忘禍頹徒回切其君文武何言將廢文武之功業王弗聽使頹叔桃
子出狄師二子周大夫桃如字一本或作姚亦宜音桃夏狄伐鄭取櫟王德狄人將
以其女爲后富辰諫曰不可臣聞之曰報者倦矣施者未厭施功
勞也有勞則望報過甚櫟力狄切施如字注同厭於豔切又於鹽切狄固貪惏王又啓之女德無
極婦怨無終婦女之志近之則不知止足遠之則忿怨無已終猶已也惏力南切方言云殺人而取其財曰惏近
附近之近遠于萬切狄必爲患王又弗聽初甘昭公有寵於惠后甘昭公王子帶
也食邑於甘河南縣西南有甘水惠后將立之未及而卒昭公奔齊奔齊在十二年王
復之在二十二年又通於隗氏隗氏王所立狄后王替隗氏替廢也替他計切頹叔
桃子曰我實使狄狄其怨我遂奉大叔以狄師攻王王御士將
禦之周禮王之御士十二人王曰先后其謂我何先后惠后也諫大叔恐違先后志寧使
諸侯圖之王遂出及坎欿國人納之坎欿周地在河南鞏縣東坎苦感切欿大感切鞏九
勇切秋頹叔桃子奉大叔以狄師伐周大敗周師獲周公忌父
原伯毛伯富辰原毛皆采邑王出適鄭處于氾鄭南氾也在襄城縣南氾音凡後皆同
大叔以隗氏居于溫○鄭子華之弟子臧出奔宋十六年殺子華故好
聚鷸冠鷸鳥名聚鷸羽以爲冠非法之服好呼報切鷸尹橘切鄭伯聞而惡之惡其服非法惡烏路
切使盜誘之八月盜殺之于陳宋之間君子曰服之不衷身之
災也衷猶適也衷音忠一音丁仲切注同詩曰彼己之子不稱其服詩曹風刺小人在位言彼
人之德不稱其服己音記稱尺證切注及下同刺七賜切子臧之服不稱也夫詩曰自詒伊
慼其子臧之謂矣詩小雅詒遺也慼憂也取其自遺憂之服一本作之及夫音扶詒以支切遺唯季切下同
夏書曰地平天成稱也夏書逸書地平其化天成其施上下相稱爲宜夏戶雅切後夏書皆倣此施始
豉切○宋及楚平宋成公如楚還入於鄭鄭伯將享之問禮於皇
武子皇武子鄭卿對曰宋先代之後也於周爲客天子有事膰焉有事
祭宗廟也膰祭肉尊之故賜以祭胙膰符袁切周禮又作燔字音義皆同有喪拜焉宋弔周喪王特拜謝之豐
厚可也鄭伯從之享宋公有加禮也禮物事事加厚善鄭能尊先代釋文享宋公有加絕
句禮也一本無也字讀揔爲一句○冬王使來告難曰不穀不德得罪于母弟

之寵子帶鄢在鄭地氾鄢野也難乃旦切下同敢告叔父天子謂同姓諸侯曰叔父臧文仲對曰天子蒙塵于外敢不奔問官守官守王之羣臣守手又切注及下同王使簡師父告于晉使左鄢父告于秦二子周大夫鄢於晚切天子無出書曰天王出居于鄭辟母弟之難也叔帶襄王同母弟天子凶服降名禮也凶服素服降名稱不穀鄭伯與孔將鉏石甲父侯宣多省視官具于氾三子鄭大夫省官司具器用鉏仕居切而後聽其私政禮也得先君後己之禮聽吐定切○衛人將伐邢禮至曰不得其守國不可得也禮至衛大夫守謂邢正卿國子我請昆弟仕焉乃往得仕爲明年衛滅邢傳

經二十有五年春王正月丙午衛侯燬滅邢衛邢同姬姓惡其親親相滅故稱名罪之燬況委切惡烏路切○夏四月癸酉衛侯燬卒無傳五同盟○宋蕩伯姬來逆婦無傳伯姬魯女爲宋大夫蕩氏妻也自爲其子來逆稱婦姑存之辭婦人越竟迎婦非禮故書爲于僞切竟音境○宋殺其大夫無傳其事則未聞於例爲大夫無罪故不稱名○秋楚人圍陳納頓子于頓頓迫於陳而出奔楚故楚圍陳以納頓子不言遂明一事也子玉稱人從告頓子不言歸興師見納故○葬衛文

公無傳○冬十有二月癸亥公會衛子莒慶盟于洮洮魯地衛文公既葬成公不稱爵者述父之志降名從未成君故書子以善之莒慶不稱氏未賜族洮吐刀切

傳二十五年春衛人伐邢二禮從國子巡城掖以赴外殺之正月丙午衛侯燬滅邢同姓也故名禮至爲銘曰余掖殺國子莫余敢止惡其不知恥詐以滅同姓而反銘功於器掖音亦說文以手持人臂曰掖惡烏路切○秦伯師于河上將納王狐偃言於晉侯曰求諸侯莫如勤王勤王納王也諸侯信之且大義也繼文之業而信宣於諸侯今爲可矣晉文侯仇爲平王侯伯匡輔周室仇音求使卜偃卜之曰吉遇黃帝戰于阪泉之兆黃帝與神農之後姜氏戰于阪泉之野勝之今得其兆故以爲吉公曰吾不堪也文公自以爲己當此兆故曰不堪對曰周禮未改今之王古之帝也言周德雖衰其命未改今之周王自當帝兆不謂晉公曰筮之筮之遇大有䷍乾下離上大有之睽䷥兌下離上睽大有九三變而爲睽曰吉遇公用享于天子之卦大有九三爻辭也三爲三公而得位變而爲兌兌爲說得位而說故能爲王所宴饗戰克而王享吉孰大焉言卜筮協吉且是卦也方更總言二卦之義不繫於一爻天

爲澤以當日天子降心以逆公不亦可乎乾爲天兌爲澤乾變爲兌而上當離離爲日日之在天垂曜在澤天子在上說心在下是降心逆公之象大有去睽而復亦其所也言去睽卦還論大有亦有天子降心之象乾尊離卑降尊下卑亦其義也下遐嫁切晉侯辭秦師而下辭讓秦師使還順流故日下三月甲辰次于陽樊右師圍溫大叔在溫故左師逆王夏四月丁巳王入于王城取大叔于溫殺之于隰城戊午晉侯朝王王享醴命之宥既行享禮而設醴酒又加之以幣帛以助歡也宥助也隰音習醴音禮宥音又請隧弗許闕地通路曰隧王之葬禮也諸侯皆縣柩而下隧音遂今之延道闕其月切縣音玄柩其又切曰王章也章顯王者與諸侯異未有代德而有二王亦叔父之所惡也與之陽樊溫原欑茅之田晉於是始啓南陽在晉山南河北故曰南陽惡烏路切欑才官切陽樊不服圍之蒼葛呼曰蒼葛陽樊人呼喚故切德以柔中國刑以威四夷宜吾不敢服也此誰非王之親姻其俘之也乃出其民取其土而已俘芳扶切

○秋秦晉伐鄀鄀本在商密秦楚界上小國其後遷於南郡鄀縣鄀音若字林云楚邑楮斫切楚鬬克屈禦寇以申息之師戍商密鬬克申公子儀屈禦寇息公子邊商密鄀別邑今南鄉丹水縣戍守也二子屯兵於析以爲商密援禦魚呂切屯徒門切援于眷切秦人過析隈入而繫輿人以圍商密昏而傳焉析楚邑一名白羽今南鄉析縣隈隱蔽之處繫縛輿人詐爲克析得其囚俘者昏而傳城不欲令商密知囚非析人過古卧切王音戈析星歷切俗作析隈烏回切繫音計輿音餘傳音附注同處昌慮切令力呈切宵坎血加書僞與子儀子邊盟者掘地爲坎以埋盟之餘血加盟書其上掘其勿切又其月切本又作闕其月切商密人懼曰秦取析矣戍人反矣乃降秦師秦師囚申公子儀息公子邊以歸商密既降析戍亦敗故得囚二子降戶江切後除注降名皆同楚令尹子玉追秦師弗及不復言晉者秦爲兵主復扶又切遂圍陳納頓子于頓爲頓圍陳爲于僞切

○冬晉侯圍原命三日之糧原不降命去之諜出諜間也諜音牒間間廁之間曰原將降矣軍吏曰請待之公曰信國之寶也民之所庇也得原失信何以庇之所亡滋多退一舍而原降遷原伯貫于冀伯貫周守原大夫也庇必利切又音秘貫古亂切趙衰爲原大夫狐溱爲溫大夫狐溱狐毛之子溱側巾切

○衛人平莒于我十二月盟于洮脩衛文公之好且及莒平也莒以元年酈之役怨魯衛文公將平之未及而卒成公追成父志降名以行事故曰脩文公之好好

呼報切注同〔酈〕力知切 ○晉侯問原守於寺人勃鞮 勃鞮披也〔守〕手又切〔鞮〕丁兮切

對曰昔趙衰以壺飧從徑餒而弗食 言其廉且仁不忘君也徑猶行也〔飧〕音孫〔從〕才用切舊如字〔徑〕古定切一讀以壺飧從絕句讀從爲經連下句非於杜義〔餒〕奴罪切餓也 故使處原 從披言也衰雖有大功猶簡小善以進之示不遺勞〔披〕普皮切

經二十有六年春王正月己未公會莒子衛甯速盟于向 向莒地甯速衛大夫莊子也〔向〕舒亮切 ○齊人侵我西鄙公追齊師至酅弗及 公逐齊師遠至齊地故書之濟北穀城縣西有地名酅下〔酅〕本又作巂戶圭切注同一音似轉切 ○夏齊人伐我北鄙 孝公未入魯竟先使微者伐之〔竟〕音境傳同 ○衛人伐齊 ○公子遂如楚乞師 公子遂魯卿也乞不保得之辭 ○秋楚人滅夔以夔子歸 夔楚同姓國今建平秭歸縣夔有不祀之罪故不譏楚滅同姓〔夔〕求龜切〔秭〕音姊 ○冬楚人伐宋圍緡公以楚師伐齊取穀 傳例曰師能左右之曰以〔緡〕云巾切 公至自伐齊 無傳

傳二十六年春王正月公會莒茲丕公 茲丕時君之號莒夷無謚以號爲稱〔丕〕普悲切〔稱〕尺證切 甯莊子盟于向尋洮之盟也 洮盟在前年 齊師侵我西鄙討是二盟也 夏齊孝公伐我北鄙衛人伐齊洮之盟故也公使展喜犒師 勞齊師〔犒〕苦報切〔勞〕力報切下文同 使受命于展禽 柳下惠 齊侯未入竟展喜從之曰寡君聞君親舉玉趾將辱於敝邑使下臣犒執事 言執事不敢斥尊〔趾〕音止足也 齊侯曰魯人恐乎對曰小人恐矣君子則否齊侯曰室如縣罄野無青草何恃而不恐 如而也時夏四月今之二月野物未成故言居室而資糧縣盡在野則無蔬食之物所以當恐〔恐〕曲勇切下及注皆同〔縣〕音玄注同〔罄〕亦作磬 對曰恃先王之命昔周公大公股肱周室夾輔成王成王勞之而賜之盟曰世世子孫無相害也載在盟府 載載書也〔大〕音泰下及注同〔夾〕古洽切舊音古協切 大師職之 職主也大公爲大師兼主司盟之官 桓公是以糾合諸侯而謀其不協彌縫其闕而匡救其災昭舊職也及君即位諸侯之望曰其率桓之功 率循也〔縫〕扶容切 我敝邑用不敢保聚 用此舊盟故不聚衆保守 曰豈其嗣世九年而棄命廢職其若先君何君必不然恃此以不恐齊侯乃還東門襄仲臧文仲如楚乞師 襄仲居東門故以爲氏臧文仲爲襄仲副使故不書〔使〕所吏切 臧孫

見子玉而道之伐齊宋以其不臣也言其不臣事周室可以此罪責而伐之（道）音導○
夔子不祀祝融與鬻熊祝融高辛氏之火正楚之遠祖也鬻熊祝融之十二世孫夔楚之別封故亦世
紹其祀（融）餘忠切（鬻）音育楚人讓之對曰我先王熊摯有疾鬼神弗赦而自
竄于夔熊摯楚嫡子有疾不得嗣位故別封爲夔子（摯）音至（竄）七亂切字林又千外切（嫡）丁歷切吾是以失
楚又何祀焉廢其常祀而飾辭文過秋楚成得臣鬬宜申帥師滅夔以
夔子歸成得臣令尹子玉也鬬宜申司馬子西也○宋以其善於晉侯也重耳之出也宋襄公
贈馬二十乘（乘）繩證切叛楚即晉冬楚令尹子玉司馬子西帥師伐宋
圍緡○公以楚師伐齊取穀凡師能左右之曰以左右謂進退在己（左）（右）並
如字寘桓公子雍於穀易牙奉之以爲魯援雍與孝公爭立故使居穀以偪齊（寘）之
敢切（援）于眷切楚申公叔侯戍之爲二十八年楚子使申叔去穀張本桓公之子七人爲
七大夫於楚言孝公不能撫公族

杜氏　盡三十三年

經二十有七年春杞子來朝。夏六月庚寅齊侯昭卒十九年與魯大夫盟于齊。秋八月乙未葬齊孝公無傳三月而葬速。乙巳公子遂帥師入杞弗地曰入八月無乙巳乙巳九月六日。冬楚人陳侯蔡侯鄭伯許男圍宋傳言楚子使子玉去宋經書人者恥不得志以微者告猶序諸侯之上楚主兵故。十有二月甲戌公會諸侯盟于宋無傳諸侯伐宋公與楚有好而往會之非後期宋方見圍無嫌於與盟故直以宋地(好)呼報切(與)音預

傳二十七年春杞桓公來朝用夷禮故曰子杞先代之後而迫於東夷風俗雜壞言語衣服有時而夷故杞子卒傳言其夷也今稱朝者始於朝禮終而不全異於介葛盧故唯貶其爵公卑杞杞不共也杞用夷禮故賤之(共)音恭本亦作恭下注同。夏齊孝公卒有齊怨前年齊再伐魯不廢喪紀禮也弔贈之數不有廢。秋入杞責禮也責不共也責禮本或作責無禮者非。楚子將圍宋使子文治兵於睽子文時不爲令尹故云使治兵習號令也睽楚邑(睽)苦圭切又音圭終朝而畢不戮一人終朝自旦及食時也子文欲委重於子玉故略其事(朝)如字注同(戮)音六子玉復治兵於蔿子玉爲令尹故蔿楚邑(復)扶又切(蔿)于委切終日而畢鞭七人貫三人耳國老皆賀子文子文飲之酒賀子玉堪其事(貫)音官又古亂切(飲)於鴆切蔿賈尚幼後至不賀蔿賈伯嬴孫叔敖之父幼少也(嬴)音盈(少)詩照切下同子文問之對曰不知所賀子之傳政於子玉曰以靖國也靖諸內而敗諸外所獲幾何子玉之敗子之舉也舉以敗國將何賀焉子玉剛而無禮不可以治民過三百乘其不能以入矣苟入而賀何後之有三百乘二萬二千五百人(傳)音直專切(幾)居豈切(乘)繩證切下同。冬楚子及諸侯圍宋宋公孫固如晉告急公孫固宋莊公孫先軫曰報施救患取威定霸於是乎在矣先軫晉下軍之佐原軫也報宋贈馬之施(軫)之忍切(施)式氏切注同狐偃曰楚始得曹而新昏於衛若伐曹衛楚必救之則齊宋免矣前年楚使申叔侯戍穀以偪齊於是乎蒐于被廬晉常以春蒐禮改政令敬其始也被廬晉地(蒐)所求切(被)皮義切(廬)力居切作三軍閔元年晉獻公作二軍今復大國之禮謀元帥中軍帥(帥)所類切注同趙衰曰郤縠可臣亟聞其言矣說禮樂而敦詩書詩書義之府也禮樂德之則也德義

利之本也夏書曰賦納以言明試以功車服以庸(尚書虞夏書也賦納以言
觀其志也明試以功考其事也車服以庸報其勞也賦猶取也庸功也〔穀〕本又作穀同胡木切〔亟〕欺冀切數也〔說〕音悅)君
其試之乃使郤縠將中軍郤溱佐之使狐偃將上軍讓於狐毛
而佐之(狐毛偃之兄〔將〕子匠切下將上將下皆同〔溱〕側巾切)命趙衰為卿讓於欒枝先軫
(欒枝貞子也欒賓之孫〔欒〕魯官切)使欒枝將下軍先軫佐之荀林父御戎魏犨
為右(荀林父中行桓子〔行〕戶剛切)○晉侯始入而教其民二年欲用之(二十四年)
入子犯曰民未知義未安其居(無義則苟生)於是乎出定襄王(二十五年)
(定襄王以示事君之義)入務利民民懷生矣將用之子犯曰民未知信未
宣其用(宣明也未明於見用之信)於是乎伐原以示之信(伐原在二十五年)民易資
者不求豐焉(不詐以求多)明徵其辭(重言信)公曰可矣乎子犯曰民未
知禮未生其共於是乎大蒐以示之禮(蒐順少長明貴賤〔長〕丁丈切)作執秩
以正其官(執秩主爵秩之官〔秩〕直乙切)民聽不惑而後用之出穀戍釋宋圍
(楚子使申叔去穀子玉去宋)一戰而霸文之教也(謂明年戰城濮)

經二十有八年春晉侯侵曹晉侯伐衛(再舉晉侯者曹衛兩來告)○公子買戍
衛不卒戍刺之(公子買魯大夫子叢也內殺大夫皆書刺言用周禮三刺之法示不枉濫也公實畏晉殺子叢
而誣叢以廢戍之罪恐不為遠近所信故顯書其罪〔刺〕七賜切〔叢〕似東切〔枉〕紆往切)楚人救衛○三月丙午
晉侯入曹執曹伯畀宋人(畀與也執諸侯當以歸京師晉欲怒楚使戰故以與宋所謂譎而不正〔畀〕
必利切注同〔譎〕古穴切)○夏四月己巳晉侯齊師宋師秦師及楚人戰于
城濮楚師敗績(宋公齊國歸父秦小子慭既次城濮以師屬晉不與戰也子玉及陳蔡之師不書楚人恥敗告
文略也大崩曰敗績〔濮〕音卜〔慭〕魚覲切〔與〕音預)○楚殺其大夫得臣(子玉違其君命以取敗稱名以殺罪之)○
衛侯出奔楚○五月癸丑公會晉侯齊侯宋公蔡侯鄭伯衛子莒
子盟于踐土(踐土鄭地王子虎臨盟不同歃故不書衛侯出奔其弟叔武攝位受盟非王命所加從未成君之禮
故稱子而序鄭伯之下經書癸丑月十八日也傳書癸亥月二十八日經傳必有誤〔踐〕似淺切〔土〕如字或一音杜〔歃〕所洽切本
又作唼)陳侯如會(無傳陳本與楚楚敗懼而屬晉來不及盟故曰如會)○公朝于王所(無傳王在踐土
非京師故曰王所)○六月衛侯鄭自楚復歸于衛(復其位曰復歸晉人感叔武之賢而復衛侯衛
侯之入由于叔武故以國逆為文例在成十八年)○衛元咺出奔晉(元咺衛大夫雖為叔武訟訴失君臣之節

故無賢文奔例在宣十年區況晚切爲于僞切下爲共同訴本又作愬蘇路切○陳侯款卒無傳凡四同盟○秋
杞伯姬來無傳莊公女歸寧曰來○公子遂如齊無傳聘也○冬公會晉侯齊侯
宋公蔡侯鄭伯陳子莒子邾子秦人于溫陳共公稱子先君未葬例在九年宋襄公稱子自在本班陳共公稱子降在鄭下陳懷公稱子而在鄭上傳無義例蓋主會所次非襃貶也共音恭下共公同○天王
狩于河陽晉地今河內有河陽縣晉實召王爲其辭逆而意順故經以王狩爲辭狩本又作守音同壬申公
朝于王所壬申十月十日有日而無月史闕文○晉人執衛侯歸之于京師稱人以執罪及民也例在成十五年諸侯不得相治故歸之京師○衛元咺自晉復歸于衛元咺與衛侯訟得勝而歸從國逆例者明衛侯無道於民國人與元咺○諸侯遂圍許會溫諸侯也許比再會不至故因會共伐之比如字王俾利切○曹伯襄復歸于曹晉感侯獳之言而復曹伯故從國逆之例獳乃侯切遂會諸侯圍
許言遂得復而行不歸國也

傳二十八年春晉侯將伐曹假道于衛曹在衛東故衛人弗許還自
南河濟從汲郡南渡出衛南而東汲音急侵曹伐衛正月戊申取五鹿五鹿衛地二
月晉郤縠卒原軫將中軍胥臣佐下軍上德也先軫以下軍佐超將中軍故曰上德胥臣司空季子將子匠切注同胥思徐切晉侯齊侯盟于斂盂斂盂衛地斂廉又力檢切盂音于
衛侯請盟晉人弗許衛侯欲與楚國人不欲故出其君以說
于晉衛侯出居于襄牛襄牛衛地說音悅或如字公子買戍衛晉伐衛楚之昏姻魯欲與楚伐衛故楚人救衛不克公懼於晉殺子叢以說焉召子叢而殺之以謝晉說音悅
謂楚人曰不卒戍也詐告楚人言子叢不終戍事而歸故殺之殺子叢在楚救衛下經在上者救衛赴晚至
晉侯圍曹門焉多死攻曹城門曹人尸諸城上磔晉死人於城上磔張宅切
晉侯患之聽輿人之謀曰稱舍於墓輿衆也舍墓爲將發冢輿音餘爲如字又于僞切
師遷焉曹人兇懼遷至曹人墓兇兇恐懼聲兇凶勇切恐丘勇切爲其所得者棺而出
之因其兇也而攻之三月丙午入曹數之以其不用僖負羈而
乘軒者三百人也且曰獻狀軒大夫車言其無德居位者多故責其功狀棺古患切一音官軒許言切
令無入僖負羈之宮而免其族報施也報僖負羈之施施始豉切注同飧音孫魏
犨顛頡怒曰勞之不圖報於何有二子各有從亡之勞頡戶結切從才用切爇僖負
羈氏爇燒也爇如悅切魏犨傷於胷公欲殺之而愛其材材力使問且視

之病將殺之魏犫束胷見使者曰以君之靈不有寧也言不以病故自
安寧(見)賢遍切(使)所吏切距躍三百曲踊三百距躍超越也曲踊跳踊也百猶勵也(距)音巨(躍)羊略切(三)
如字又息暫切(百)音陌下倣此(踊)徒彫切(勵)音邁乃舍之殺顛頡以徇于師立舟之僑
以為戎右舟之僑故虢臣閔二年奔晉以代魏犫為先歸張本(舍)如字又音捨下同(徇)似俊切宋人使門
尹般如晉師告急門尹般宋大夫(般)音班公曰宋人告急舍之則絕與晉絕
告楚不許我欲戰矣齊秦未可若之何未肯戰先軫曰使宋舍我
而賂齊秦求救於齊秦(舍)音捨藉之告楚假借齊秦使為宋請(藉)在亦切(為)于僞切我執曹君
而分曹衛之田以賜宋人楚愛曹衛必不許也不許齊秦之請喜賂怒
頑能無戰乎言齊秦喜得宋賂而怒楚之頑必自戰也不可告請故曰頑公說執曹伯分曹
衛之田以畀宋人楚子入居于申申在方城內故曰入(說)音悅(畀)必利切使申叔
去穀二十六年申叔戍穀使子玉去宋曰無從晉師晉侯在外十九年矣
而果得晉國晉侯生十七年而亡十九年而反凡二十六年至此四十年險阻艱難備嘗之
矣民之情僞盡知之矣天假之年獻公之子九人唯文公在故曰天假之年而除其

害除惠懷呂郤天之所置其可廢乎軍志曰允當則歸無求過分軍志兵書(當)丁
浪切(分)扶問切又曰知難而退又曰有德不可敵此三志者晉之謂矣
謂今與晉遇當用此三志子玉使伯棼請戰伯棼子越椒也鬬伯比之孫(棼)扶云切又扶粉切曰非敢
必有功也願以間執讒慝之口間執猶塞也讒慝若蒍賈之言謂子玉不能以三百乘入(間)間
廁之間注同(慝)吐得切(乘)繩證切王怒少與之師唯西廣東宮與若敖之六卒
實從之楚子還申遺此兵以就前圍宋之衆楚有左右廣又大子有宮甲分取以給之若敖楚武王之祖父葬若敖者
子玉之祖也六卒子玉宋人之兵六百人言不悉師以益之(廣)古曠切注同(卒)子忽切注同子玉使宛春告
於晉師曰請復衛侯而封曹臣亦釋宋之圍衛侯未出竟曹伯見執在宋已失位
故言復衛封曹(宛)於元切又於阮切(竟)音境子犯曰子玉無禮哉君取一臣取二君取
一以釋宋圍惠晉侯臣取二復衛曹為己功不可失矣言可伐先軫曰子與之定人之
謂禮楚一言而定三國我一言而亡之我則無禮何以戰乎不
許楚言是弃宋也救而弃之謂諸侯何言將為諸侯所怪楚有三施我
有三怨怨讎已多將何以戰不如私許復曹衛以攜之私許二國使告

絶于楚而後復之攜離也施始豉切執宛春以怒楚既戰而後圖之須勝負決乃定計公
說乃拘宛春於衛且私許復曹衛曹衛告絶於楚子玉怒從晉
師晉師退軍吏曰以君辟臣辱也且楚師老矣何故退子犯曰
師直爲壯曲爲老豈在久乎微楚之惠不及此重耳過楚楚成王有贈送之惠
說音悅拘言俱過古禾切退三舍辟之所以報也一舍三十里初楚子云若反國何以報我故以退三
舍爲報背惠食言以亢其讎亢猶當也讎謂楚也背音佩下及注同亢苦浪切我曲楚直
其衆素飽不可謂老直氣盈飽我退而楚還我將何求若其不還君
退臣犯曲在彼矣退三舍楚衆欲止子玉不可夏四月戊辰
晉侯宋公齊國歸父崔夭秦小子憖次于城濮國歸父崔夭齊大夫也小子憖
秦穆公子也城濮衛地夭於表切楚師背酅而舍酅丘陵險阻名酅戶圭切晉侯患之聽輿
人之誦恐衆畏險故聽其歌誦曰原田每每舍其舊而新是謀高平曰原喻晉君美
盛若原田之草每每然可以謀立新功不足念舊惠每亡回切又梅對切舍音捨公疑焉疑衆謂己背舊謀新子
犯曰戰也戰而捷必得諸侯若其不捷表裏山河必無害也晉國

外河而內山公曰若楚惠何欒貞子曰漢陽諸姬楚實盡之貞子欒枝也水
北曰陽姬姓之國在漢北者楚盡滅之思小惠而忘大恥不如戰也晉侯夢與楚
子搏搏手搏搏音博楚子伏己而盬其腦盬啑也盬音古腦乃老切啑子荅切又所荅切又子甲切
是以懼子犯曰吉我得天楚伏其罪吾且柔之矣晉侯上向故得天楚子下
向地故伏其罪腦所以柔物子犯審見事宜故權言以荅夢向或作嚮許亮切下同子玉使鬭勃請戰鬭勃
楚大夫曰請與君之士戲君馮軾而觀之得臣與寓目焉寓寄也馮皮冰
切軾音式與音預寓音遇晉侯使欒枝對曰寡君聞命矣楚君之惠未之敢
忘是以在此爲大夫退其敢當君乎既不獲命矣不獲止命爲于僞切敢
煩大夫謂二三子煩鬭勃令戒勑子玉子西之屬令力呈切戒爾車乘敬爾君事詰
朝將見詰朝平旦乘繩證切下及注皆同詰起吉切朝如字注同見如字又賢遍切晉車七百乘韅
靷鞅靽五萬二千五百人在背曰韅在胷曰靷在腹曰鞅在後曰靽言駕乘脩備韅許見切說文作韅云著掖皮靷以
刃切說文云軸也鞅於杖切說文云頸皮也靽音半一云縶也背如字晉侯登有莘之虛以觀師
曰少長有禮其可用也有莘故國名少長猶言大小莘所巾切虛丘魚切少詩照切注同長丁丈切注

同遂伐其木以益其兵（伐木以益攻戰之具輿曳柴亦是也〔攻〕如字又音貢）已巳晉師陳于莘北胥臣以下軍之佐當陳蔡子玉以若敖之六卒將中軍曰今日必無晉矣子西將左子上將右（子西鬬宜申子上鬬勃〔陳〕直覲切〔卒〕子忽切下同〔將〕子匠切下及注同）胥臣蒙馬以虎皮先犯陳蔡陳蔡奔楚右師潰（陳蔡屬楚右師〔潰〕戶外切）狐毛設二旆而退之（旆大旗也又建二旆而退使若大將稍却〔旆〕蒲貝切）欒枝使輿曳柴而僞遁（曳柴起塵詐爲衆走〔遁〕徒困切）楚師馳之原軫郤溱以中軍公族橫擊之（公族公所率之軍）狐毛狐偃以上軍夾攻子西楚左師潰楚師敗績子玉收其卒而止故不敗（三軍唯中軍完是不大崩〔夾〕古洽切又音頰）晉師三日館穀（館舍也食楚軍穀三日）及癸酉而還甲午至于衡雍作王宮于踐土（衡雍鄭地今熒陽卷縣襄王聞晉戰勝自往勞之故爲作宮〔雍〕於用切〔卷〕音權又丘權切〔勞〕力報切〔爲〕于僞切）鄉役之三月（鄉猶屬也城濮役之前三月〔鄉〕許亮切本又作嚮同〔屬〕音燭）鄭伯如楚致其師爲楚師既敗而懼使子人九行成于晉（子人氏九名〔爲〕于僞切）晉欒枝入盟鄭伯五月丙午晉侯及鄭伯盟于衡雍丁未獻楚俘于王駟四

介百乘徒兵千（駟介四馬被甲徒兵步卒〔駟〕音四〔介〕音界〔被〕皮義切〔卒〕子忽切）鄭伯傅王用平禮也（傅相也以周平王享晉文侯仇之禮享晉侯〔相〕息亮切）己酉王享醴命晉侯宥（既饗又命晉侯助以束帛以將厚意）王命尹氏及王子虎內史叔興父策命晉侯爲侯伯（以策書命晉侯爲伯也周禮九命作伯尹氏王子虎皆王卿士也叔興父大夫也三官命之以寵晉）賜之大輅之服戎輅之服（大輅金輅戎輅戎車二輅各有服）彤弓一彤矢百玈弓矢千（彤赤弓玈黑弓弓一矢百則矢千弓十矢千諸侯賜弓矢然後專征伐〔彤〕徒冬切〔玈〕音盧本或作旅字非也矢千本或作旅矢千後人專輒加也）秬鬯一卣（秬黑黍鬯香酒所以降神卣器名〔秬〕音巨〔鬯〕勑亮切〔卣〕音酉又音由爾雅云卣中尊也）虎賁三百人曰王謂叔父敬服王命以綏四國糾逖王慝（逖遠也有惡於王者糾而遠之〔賁〕音奔〔逖〕勑歷切〔慝〕他得切）晉侯三辭從命曰重耳敢再拜稽首奉揚天子之丕顯休命（稽首首至地丕大也休美也〔三〕息暫切又如字後例放此〔丕〕普悲切〔休〕許虯切注同）受策以出出入三覲（出入猶去來也從來至去凡三見王〔見〕賢遍切）衛侯聞楚師敗懼出奔楚遂適陳（自襄牛出）使元咺奉叔武以受盟（奉使攝君事使攝君事並如字或讀連上奉字爲句〔使〕音所吏切非也）癸亥王子虎盟諸侯于王庭（踐土宮之庭書踐土別於京師〔別〕彼列切）要

言曰皆獎王室無相害也有渝此盟明神殛之俾隊其師無克
祚國獎助也渝變也殛誅也俾使也隊隕也克能也（獎）將丈切（渝）羊朱切（殛）紀力切本又作極下是殛同（俾）本亦作卑必
爾切（隊）直類切（祚）才故切（隕）于敏切及而玄孫無有老幼君子謂是盟也信合義信
謂晉於是役也能以德攻以文德教民而後用之（攻）如字一音公送切初楚子玉自
為瓊弁玉纓未之服也弁以鹿子皮為之瓊玉之別名次之以飾弁及纓詩云會弁如星（瓊）求營切說
文云赤玉弁本又作玣皮彥切（會）本又作璯古外切又戶外切先戰夢河神謂己曰畀余余賜
女孟諸之麋孟諸宋藪澤水草之交曰麋（先）如字又悉薦切（畀）必利切與也（女）音汝（麋）亡皮切（藪）素口切弗
致也大心與子西使榮黃諫大心子玉之子子西子玉之族玉剛愎故因榮黃榮黃榮季也（愎）
皮逼切弗聽榮季曰死而利國猶或為之況瓊玉乎是糞土也而
可以濟師將何愛焉因神之欲以附百姓之願濟師之理（糞）弗問切弗聽出告二子曰
非神敗令尹令尹其不勤民實自敗也盡心盡力無所愛惜為勤（盡）律忍切既敗
王使謂之曰大夫若入其若申息之老何申息二邑子弟皆從子玉而死言何以見
其父老（從）如字又才用切子西孫伯曰得臣將死二臣止之曰君其將以為

戮孫伯即大心子玉子也二子以此荅王使言欲令子玉往就君戮（使）所吏切下前使同（令）力呈切及連穀而
死至連穀王無赦命故自殺也文十年傳曰城濮之役王使止子玉曰無死不及子西亦自殺縊而縣絕故得不死王時別
遣追前使連穀楚地殺得臣經在踐土盟上傳在下者說晉事畢而次及楚屬文之宜（穀）胡木切（縊）一賜切一音於計切（縣）音
玄（屬）音燭晉侯聞之而後喜可知也喜見於顏色（見）賢遍切曰莫余毒也已蔿
呂臣實為令尹奉已而已不在民矣言其自守無大志或訴元咺於衛
侯曰立叔武矣其子角從公公使殺之角元咺子（從）才用切又如字咺不廢
命奉夷叔以入守夷謚（守）手又切六月晉人復衛侯以叔武受盟於踐土故聽衛侯歸（聽）
吐丁切甯武子與衛人盟于宛濮武子甯俞也陳留長垣縣西南有宛亭近濮水（宛）於阮切（俞）羊
朱切（近）附近之近曰天禍衛國君臣不協以及此憂也衛侯欲與楚國人不欲故不和
也今天誘其衷衷中也（衷）音忠或丁仲切下同使皆降心以相從也不有居者
誰守社稷不有行者誰扞牧圉牛曰牧馬曰圉（扞）戶旦切（牧）音目不協之故用
昭乞盟于爾大神以誘天衷自今日以往既盟之後行者無保
其力居者無懼其罪有渝此盟以相及也以惡相及明神先君是糾

是殛國人聞此盟也而後不貳 傳言叔武之賢甯俞之忠衛侯所以書復歸 衛侯先
期入 不信叔武先悉薦切 甯子先長牂守門以爲使也與之乘而入 長牂衛大夫甯
子患公之欲速故先入欲安喻國人牂子郎切使所吏切 公子歂犬華仲前驅 衛侯遂驅奄甯子未備二
子衛大夫歂市專切華戶化切又如字 叔武將沐聞君至喜捉髮走出前驅射而
殺之公知其無罪也枕之股而哭之 公以叔武尸枕其股射食亦切下注同枕支鴆切注
同 歂犬走出 手射叔武故 公使殺之元咺出奔晉 元咺以衛侯驅入殺叔武故至晉愬
之 城濮之戰晉中軍風于澤 牛馬因風而走皆失之 亡大旆之左旃 大旆旗名
繫旐曰旆通帛曰旃旃章然切爾雅云因章曰旃 祁瞞奸命 掌此二事而不脩爲奸軍令瞞莫干切奸音干 司
馬殺之以徇于諸侯使茅茷代之師還壬午濟河舟之僑先歸
士會攝右 權代舟之僑也士會隨武子士蔿之孫茷扶廢切僑其驕切 秋七月丙申振旅
愷以入于晉 愷樂也愷開在切樂音洛 獻俘授馘飲至大賞 授數也獻楚俘於廟馘古獲切
數色主切 徵會討貳 徵召諸侯將冬會于溫 殺舟之僑以徇于國民於是大服
君子謂文公其能刑矣三罪而民服 三罪顛頡祁瞞舟之僑 詩云惠此中

國以綏四方不失賞刑之謂也 詩大雅言賞刑不失則中國受惠四方安靖 ○冬會
于溫討不服也 討衛許 衛侯與元咺訟 爭殺叔武事 甯武子爲輔鍼莊
子爲坐士榮爲大士 大士治獄官也周禮命夫命婦不躬坐獄訟元咺又不宜與其君對坐故使鍼莊子
爲主又使衛之忠臣及其獄官質正元咺傳曰王叔之宰與伯輿之大夫坐獄於王庭各不身親蓋今長吏有罪先驗吏卒之
義鍼其廉切坐如字或一音才卧切長丁丈切卒子忽切 衛侯不勝 三子辭屈 殺士榮刖鍼莊子
謂甯俞忠而免之執衛侯歸之于京師寘諸深室 深室別爲囚室刖音月又
五刮切寘之豉切 甯子職納橐饘焉 甯俞以君在幽隘故親以衣食爲己職橐衣囊饘糜也言其忠至所
慮者深橐音託饘之然切隘於賣切囊乃郎切糜亡皮切 元咺歸于衛立公子瑕 瑕衛公子適適音的
○是會也晉侯召王以諸侯見且使王狩 晉侯大合諸侯而欲尊事天子以爲名義
自嫌強大不敢朝周喻王出狩因得盡羣臣之禮皆譎而不正之事見賢遍切 仲尼曰以臣召君不可
以訓故書曰天王狩于河陽言非其地也 使若天王自狩以失地故書河陽實以屬
晉非王狩地 且明德也 隱其召君之闕欲以明晉之功德河陽之狩趙盾之弒泄冶之罪皆違凡變例以起大義
危疑之理故特稱仲尼以明之弒音試泄息列切冶音也危疑如字一本危作僞九委切 壬申公朝于王所

執衛侯經在朝王下傳在上者告執晚○丁丑諸侯圍許十月十五日有日無月晉侯有疾曹伯之豎侯獳貨筮史豎掌通內外者史晉史使曰以曹爲解以滅曹爲解故解戶賣切注同又古買切齊桓公爲會而封異姓封邢衛今君爲會而滅同姓曹叔振鐸文之昭也叔振鐸曹始封君文王之子鐸待洛切先君唐叔武之穆也且合諸侯而滅兄弟非禮也與衛偕命私許復曹衛而不與偕復非信也同罪異罰非刑也衛已復故禮以行義信以守禮刑以正邪舍此三者君將若之何公說復曹伯遂會諸侯于許晉侯作三行以禦狄荀林父將中行屠擊將右行先蔑將左行晉置上中下三軍今復增置三行以辟天子六軍之名三行無佐疑大夫帥邢似嗟切舍音捨說音悅行戶郎切下及注同將子匠切屠音徒擊古狄切一音計蔑亡結切復扶又切

經二十有九年春介葛盧來介東夷國也在城陽黔陬縣葛盧介君名也不稱朝不見公且不能行朝禮雖不見公國賓禮之故書介音界黔巨廉切又音琴陬子侯切又側留切○公至自圍許無傳○夏六月會王人晉人宋人齊人陳人蔡人秦人盟于翟泉翟泉今洛陽城內大倉西南池水也魯侯諱盟天子大夫諸侯大夫又違禮盟公侯王子虎違禮下盟故不言公會又皆稱人翟直歷切大倉音泰○秋大雨雹雨于付切○冬介葛盧來

傳二十九年春介葛盧來朝舍于昌衍之上魯縣東南有昌平城衍以善切公在會饋之芻米禮也嫌公行不當致饋故曰禮也饋其媿切芻初俱切○夏公會王子虎晉狐偃宋公孫固齊國歸父陳轅濤塗秦小子憖盟于翟泉尋踐土之盟且謀伐鄭也經書蔡人而傳無名氏即微者秦小子憖在蔡下者若宋向戌之後會轅音袁濤音桃憖魚覲切向式亮切卿不書罪之也晉侯始霸翼戴天子諸侯輯睦王室無虞而王子虎下盟列國以瀆大典諸侯大夫上敵公侯虧禮傷教故貶諸大夫諱公與盟輯音集又七入切瀆徒木切上時掌切又如字與音預在禮卿不會公侯會伯子男可也大國之卿當小國之君故可以會伯子男諸卿之見貶亦兼有此闕故傳重發之重直用切○秋大雨雹爲災也○冬介葛盧來以未見公故復來朝禮之加燕好燕燕禮也好好貨也一歲再來故加之復扶又切好呼報切注同介葛盧聞牛鳴曰是生三犧皆用之矣其音云問之而信傳言人聽或通鳥獸之情犧許宜切

經三十年春王正月。夏狄侵齊。秋衛殺其大夫元咺及公
子瑕（咺見殺稱名者訟君求直又先歸立公子瑕非國人所與罪之也瑕立經年未會諸侯故不稱君）。衛侯鄭
歸于衛（魯為之請故從諸侯納之例例在成十八年為于偽切）。晉人秦人圍鄭（晉軍函陵秦軍氾南
各使微者圍鄭故稱人函音咸氾音凡傳同）。介人侵蕭（無傳）。冬天王使周公來聘（周公
天子三公兼冢宰也兼如字又經念切）。公子遂如京師遂如晉（如京師報宰周公）
傳三十年春晉人侵鄭以觀其可攻與否狄閒晉之有鄭虞也
夏狄侵齊（齊晉與國閒間廁之間）。晉侯使醫衍酖衛侯（衍醫名晉侯實怨衛侯欲
殺而罪不及死故使醫因治疾而加酖毒衍以善切酖音鴆）甯俞貨醫使薄其酖不死（甯侯視衛
侯衣食故得知之）公為之請納玉於王與晉侯皆十瑴王許之（雙玉曰瑴公本
與衛同好故為之請為于偽切及汪同瑴音角好呼報切）秋乃釋衛侯衛侯使賂周歂治
廑曰苟能納我吾使爾為卿（恐元咺距己故賂周治歂市專切治音也廑音覲又音謹人名也漢
書音義云古勤字也鄭氏音勤）周治殺元咺及子適子儀（子儀瑕母弟不書殺賤也適丁歷切）公
入祀先君周治既服將命（服卿服將入廟受命）周歂先入及門遇疾而死

治廑辭卿（見周歂死而懼）。九月甲午晉侯秦伯圍鄭以其無禮於晉
（文公亡過鄭鄭不禮之過古禾切）且貳於楚也晉軍函陵秦軍氾南（此東氾也在熒陽中
牟縣南）佚之狐言於鄭伯曰國危矣若使燭之武見秦君師必退
（佚之狐燭之武皆鄭大夫佚音逸）公從之辭曰臣之壯也猶不如人今老矣無
能為也已公曰吾不能早用子今急而求子是寡人之過也然
鄭亡子亦有不利焉許之夜縋而出（縋縣城而下縋丈偽切縣音玄）見秦伯曰
秦晉圍鄭鄭既知亡矣若亡鄭而有益於君敢以煩執事（執事亦謂
秦）越國以鄙遠君知其難也（設得鄭以為秦邊邑則越晉而難保）焉用亡鄭以陪
鄰（陪益也焉於虔切下焉取之同陪蒲回切）鄰之厚君之薄也若舍鄭以為東道主
行李之往來共其乏困（行李使人舍音捨又如字共音恭本亦作供使所吏切）君亦無所
害且君嘗為晉君賜矣許君焦瑕朝濟而夕設版焉君之所知
也（晉君謂惠公也焦瑕晉河外五城之二邑朝濟河而夕設版築以距秦言背秦之速朝如字注同版音板背音佩）夫
晉何厭之有既東封鄭又欲肆其西封（封疆也肆申也厭於鹽切疆居良切）若不

闕秦將焉取之闕秦以利晉唯君圖之秦伯說與鄭人盟使杞
子逢孫揚孫戍之乃還三子秦大夫反爲鄭守(說)音悅(爲)于僞切子犯請擊之公曰
不可微夫人之力不及此請擊秦也夫人謂秦穆公(夫)音扶注同因人之力而敝
之不仁失其所與不知以亂易整不武秦晉和整而還相攻更爲亂也(知)音智吾
其還也亦去之初鄭公子蘭出奔晉蘭鄭穆公從於晉侯伐鄭請無
與圍鄭許之使待命于東晉東界(與)音預鄭石甲父侯宣多逆以爲大
子以求成于晉晉人許之二子鄭大夫言穆公所以立○冬王使周公閱來
聘饗有昌歜白黑形鹽昌歜昌蒲葅白熬稻黑熬黍形鹽鹽形象虎(閱)音悅(歜)在感切(葅)莊居切辭
曰國君文足昭也武可畏也則有備物之饗以象其德薦五味
羞嘉穀鹽虎形嘉穀熬稻黍也以象其文也鹽虎形以象武也以獻其功吾何以堪之
○東門襄仲將聘于周遂初聘于晉公既命襄仲聘周未行故曰將又命自周聘晉故曰
遂自入春秋魯始聘晉故曰初

經三十有一年春取濟西田晉分曹田以賜魯故不繫曹不用師徒故曰取○公子遂如

晉○夏四月四卜郊不從乃免牲龜曰卜不從不吉也卜郊不吉故免牲免猶縱也猶
三望三望分野之星國中山川皆因郊祀望而祭之魯廢郊天而修其小祀故曰猶猶者可止之辭(分)扶問切○秋
七月○冬杞伯姬來求婦無傳自爲其子成昏(爲)于僞切○狄圍衛十有二月衛
遷于帝丘辟狄難也帝丘今東郡濮陽縣故帝顓頊之虛故曰帝丘(難)乃旦切(顓)音專(頊)許玉切(虛)起魚切

傳三十一年春取濟西田分曹地也二十八年晉文討曹分其地竟界未定至是乃以賜
諸侯(竟)音境使臧文仲往宿於重館高平方與縣西北有重鄉城(重)直龍切注同(方)音房(與)音預
重館人告曰晉新得諸侯必親其共不速行將無及也從之分
曹地自洮以南東傅于濟盡曹地也文仲不書請田而已非聘享會同也濟水自滎陽東
過魯之西至樂安入海(洮)吐刀切(傅)音附(盡)津忍切(樂)音洛襄仲如晉拜曹田也○夏四月
四卜郊不從乃免牲非禮也諸侯不得郊天魯以周公故得用天子禮樂故郊爲魯常祀猶
三望亦非禮也禮不卜常祀必其時而卜其牲日卜牲與日知吉凶牛卜
日曰牲既得吉日則牛改名曰牲牲成而卜郊上怠慢也怠於占典慢瀆龜策望郊之
細也不郊亦無望可也○秋晉蒐于清原作五軍以禦狄二十八年

晉作三行今罷之更爲上下新軍河東聞喜縣北有清原（行）戶郎切趙衰爲卿二十七年命趙衰爲卿讓於欒枝今

始從原大夫爲新軍帥（帥）所類切〇冬狄圍衛衛遷于帝丘卜曰三百年衛成

公夢康叔曰相奪予享相夏后啓之孫居帝丘享祭也（曰）音越或人實切非也（相）息亮切注及下同（甯）

戶雅切下同公命祀相甯武子不可曰鬼神非其族類不歆其祀歆猶

饗也（歆）許金切杞鄫何事言杞鄫夏後自當祀相相之不享於此久矣非衛之罪

也言帝丘久不祀相非衛所絕不可以間成王周公之命祀諸侯受命各有常祀（間）間廁之

間請改祀命改祀相之命〇鄭洩駕惡公子瑕鄭伯亦惡之故公子

瑕出奔楚瑕文公子傳爲納瑕張本洩駕鄭大夫隱五年洩駕距此九十年疑非一人（惡）烏路切下同

經三十有二年春王正月〇夏四月己丑鄭伯捷卒無傳文公也三同盟

（捷）在接切〇衛人侵狄報前年狄圍衛〇秋衛人及狄盟不地者就狄廬帳盟（廬）力於切（帳）張亮切

〇冬十有二月己卯晉侯重耳卒同盟踐土狄泉

傳三十二年春楚鬬章請平于晉晉陽處父報之晉楚始通陽處

父晉大夫晉楚自春秋以來始交使命和同（使）所吏切〇夏狄有亂衛人侵狄狄請平焉

秋衛人及狄盟〇冬晉文公卒庚辰將殯于曲沃殯空棺也曲沃有舊

宮焉（窆）彼驗切一本作塗出絳柩有聲如牛如牛响聲（柩）其救切禮云在牀曰尸在棺曰柩（响）呼口切卜

偃使大夫拜曰君命大事將有西師過軼我擊之必大捷焉聲自

柩出故曰君命大事戎事也卜偃聞秦密謀故因柩聲以正衆心（過）古禾切又古卧切（軼）直結切又音逸杞子自鄭

使告于秦三十年秦使大夫杞子戍鄭曰鄭人使我掌其北門之管管籥也（籥）餘若

切若潛師以來國可得也穆公訪諸蹇叔蹇叔曰勞師以襲遠

非所聞也蹇叔秦大夫（蹇）紀輦切師勞力竭遠主備之無乃不可乎師知

所爲鄭必知之勤而無所必有悖心將害良善（悖）必內切且行千里其誰

不知公辭焉辭不受其言召孟明西乞白乙使出師於東門之外孟明

百里孟明視西乞西乞術白乙白乙丙蹇叔哭之曰孟子吾見師之出而不見其

入也公使謂之曰爾何知中壽爾墓之木拱矣合手曰拱言其過老悖不可用

（孟）（子）本或作孟兮（壽）音授又如字（拱）九勇切蹇叔之子與師哭而送之曰晉人禦師

必於殽殽在弘農澠池縣西（殽）本又作崤戶交切劉昌宗音豪（澠）緜善切（與）羊恕切殽有二陵焉大阜

曰陵其南陵夏后皋之墓也皋夏桀之祖父夏戶雅切皋古刀切其北陵文王之所辟風雨也此道在二殽之間南谷中谷深委曲兩山相嶔故可以辟風雨古道由此魏武帝西討巴漢惡其險而更開北山高道辟音避谷古木切又音欲嶔許金切又音欽本或作嵐力含切惡烏路切必死是閒以其深險故余收爾骨焉秦師遂東為明年晉敗秦于殽傳為于僞切

經三十有三年春王二月秦人入滑滅而書入不能有其地○齊侯使國歸父來聘○夏四月辛巳晉人及姜戎敗秦師于殽晉侯諱背喪用兵故通以賤者告姜戎姜姓之戎居晉南鄙戎子駒支之先也晉人角之諸戎掎之不同陳故言及背音佩掎居綺切陳直覲切○癸巳葬晉文公○狄侵齊○公伐邾取訾婁○秋公子遂帥師伐邾○晉人敗狄于箕大原陽邑縣南有箕城郤缺稱人者未為卿○冬十月公如齊十有二月公至自齊乙巳公薨于小寢小寢內寢也乙巳十一月十二日經書十二月誤○隕霜不殺草李梅實無傳書時失也周十一月今九月霜當微而重重而不能殺草所以為災隕于敏切○晉人陳人鄭人伐許

傳三十三年春秦師過周北門左右免冑而下王城之北門冑兜鍪兵車非大將御者在中故左右下御不下冑直救切兜丁侯切鍪亡侯切將子匠切超乘者三百乘王孫滿尚幼觀之言於王曰秦師輕而無禮必敗謂過天子門不卷甲束兵超乘示勇乘繩證切下及注皆同輕遣政切下同輕則寡謀無禮則脫脫易也脫他活切易以豉切入險而脫又不能謀能無敗乎及滑鄭商人弦高將市於周遇之以乘韋先牛十二犒師商行賈也乘四韋先韋乃入牛古者將獻遺於人必有以先之先悉薦切注有以先之同犒告報切賈音古遺唯季切曰寡君聞吾子將步師出於敝邑敢犒從者不腆敝邑為從者之淹居則具一日之積腆厚也淹久也積芻米菜薪步師猶行也從才用切下同腆他典切為于僞切下為吾子同積子賜切注同行則備一夕之衛且使遽告于鄭遽傳車遽其據切傳張戀切鄭穆公使視客館視秦三大夫之舍則束載厲兵秣馬矣嚴兵待秦師秣音末穀馬也說文作䬴云食馬穀也使皇武子辭焉曰吾子淹久於敝邑唯是脯資餼牽竭矣資糧也生曰餼牽謂牛羊豕餼許氣切牲腥曰餼牲生曰牽為吾子之將行也示知其情鄭之有原圃猶秦之有具囿也原圃具囿皆囿名圃布古切吾子取其麋鹿以閒敝邑若何使秦戍自取麋鹿以為行資令敝邑得閒暇若何猶如何滎陽

中牟縣西有圃田澤圍云悲切閒音閑注同令力呈切杞子奔齊逢孫揚孫奔宋孟明曰
鄭有備矣不可冀也攻之不克圍之不繼吾其還也滅滑而還
○齊國莊子來聘自郊勞至于贈賄禮成而加之以敏迎來曰郊勞送
去曰贈賄敏審當於事勞力報切注同賄呼罪切當丁浪切又如字臧文仲言於公曰國子爲政
齊猶有禮君其朝焉臣聞之服於有禮社稷之衛也爲公如齊傳○
晉原軫曰秦違蹇叔而以貪勤民天奉我也奉與也奉扶用切注及下同奉
不可失敵不可縱縱敵患生違天不祥必伐秦師欒枝曰未報
秦施而伐其師其爲死君乎言以君死故忘秦施縱子用切下同施始豉切注及下同先軫
曰秦不哀吾喪而伐吾同姓秦則無禮何施之爲言秦以無禮加己施不足
顧吾聞之一日縱敵數世之患也謀及子孫可謂死君乎言不可謂
背君數所主切背音佩遂發命遽興姜戎子墨衰絰晉文公未葬故襄公稱子以凶服從戎故
墨之衰七雷切絰直結切梁弘御戎萊駒爲右夏四月辛巳敗秦師于殽
獲百里孟明視西乞術白乙丙以歸遂墨以葬文公晉於是始

墨後遂常以爲俗記禮所由變萊音來文嬴請三帥文嬴晉文公始適秦秦穆公所妻夫人襄公嫡母三帥孟
明等嬴音盈帥所類切注同妻七計切嫡丁歷切曰彼實構吾二君寡君若得而食之
不厭君何辱討焉使歸就戮于秦以逞寡君之志若何公許之
先軫朝問秦囚公曰夫人請之吾舍之矣先軫怒曰武夫力而
拘諸原婦人暫而免諸國暫猶卒也厭於豔切又於鹽切戮音六逞勑領切拘音俱卒寸忽切墮
軍實而長寇讎亡無日矣墮毀也墮許規切長丁丈切不顧而唾公使陽處
父追之及諸河則在舟中矣釋左驂以公命贈孟明欲使還拜謝因而執
之驂七南切唾吐臥切孟明稽首曰君之惠不以纍臣釁鼓纍囚繫也殺人以血塗鼓
謂之釁鼓纍律追切釁許覲切使歸就戮于秦寡君之以爲戮死且不朽若從
君惠而免之三年將拜君賜意欲報伐晉秦伯素服郊次待之於郊鄉師
而哭曰孤違蹇叔以辱二三子孤之罪也不替孟明孤之過也
大夫何罪且吾不以一眚掩大德眚過也鄉許亮切替他計切眚所景切掩於檢切○
狄侵齊因晉喪也○公伐邾取訾婁以報升陘之役在二十二年邾

人不設備秋襄仲復伐邾（魯亦因晉喪以陵小國〔復〕扶又切）○狄伐晉及箕
八月戊子晉侯敗狄于箕郤缺獲白狄子（白狄狄別種也故西河郡有白部胡〔箕〕音
基〔種〕章勇切）先軫曰匹夫逞志於君（謂不顧而唾）而無討敢不自討乎免
冑入狄師死焉狄人歸其元（元首）面如生（言其有異於人）初臼季使過冀
見冀缺耨其妻饁之（臼季胥臣也冀晉邑耨鋤也野饋曰饁〔臼〕其九切〔使〕所吏切〔過〕古禾切〔耨〕乃豆切〔饁〕
于輒切字林于劫切〔鋤〕本又作鉏仕居切〔饋〕其位切餉也）敬相待如賓與之歸言諸文公曰
敬德之聚也能敬必有德德以治民君請用之臣聞之出門如
賓（如見大賓）承事如祭（常謹敬也）仁之則也公曰其父有罪可乎（缺父冀芮欲殺
文公在二十四年〔芮〕如銳切〔殺〕音試或如字）對曰舜之罪也殛鯀其舉也興禹（禹鯀子〔殛〕
紀力切誅也〔鯀〕古本切）管敬仲桓之賊也實相以濟康誥曰父不慈子不
祗兄不友弟不共不相及也（康誥周書祗敬也〔相〕息亮切〔共〕音恭）詩曰采葑采
菲無以下體君取節焉可也（詩國風也葑菲之菜上善下惡食之者不以其惡而弃其善言可取
其善節〔葑〕芳逢切〔菲〕芳匪切）文公以為下軍大夫反自箕襄公以三命命先

且居將中軍（且居先軫之子其父死敵故進之〔且〕子徐切〔將〕子匠切）以再命命先茅之縣
賞胥臣曰舉郤缺子之功也（先茅絕後故取其縣以賞胥臣）以一命命郤缺為
卿復與之冀（還其父故邑〔復〕扶又切又音服）亦未有軍行（雖登卿位未有軍列〔行〕戶剛切）○冬
公如齊朝且弔有狄師也反薨于小寢即安也（小寢夫人寢也譏公就所安不
終于路寢）○晉陳鄭伐許討其貳於楚也楚令尹子上侵陳蔡陳蔡
成遂伐鄭將納公子瑕（三十一年瑕奔楚）門于桔柣之門瑕覆于周氏
之汪（車傾覆池水中〔桔〕戶結切〔柣〕大結切〔覆〕芳服切注同〔汪〕烏黃切）外僕髡屯禽之以獻（殺瑕以獻
鄭伯〔髡〕苦門切〔屯〕徒門切）文夫人斂而葬之鄶城之下（鄭文公夫人也鄶城故鄶國在滎陽密縣
東北傳言穆公所以遂有國〔斂〕力豔切〔鄶〕古外切）○晉陽處父侵蔡楚子上救之與晉
師夾泜而軍（泜水出魯陽縣東經襄城定陵入汝〔夾〕古洽切一音古協切〔泜〕音雉又直里切王又徒死切）陽
子患之使謂子上曰吾聞之文不犯順武不違敵子若欲戰則
吾退舍子濟而陳（欲辟楚使渡成陳而後戰〔陳〕直覲切注同）遲速唯命不然紓我（紓緩
也〔紓〕音舒一音直呂切）老師費財亦無益也（師久為老〔費〕芳味切）乃駕以待子上欲

涉大孫伯曰不可晉人無信半涉而薄我悔敗何及不如紓之乃退舍楚退欲使晉渡陽子宣言曰楚師遁矣遂歸楚師亦歸大子商臣譖子上曰受晉賂而辟之楚之恥也罪莫大焉王殺子上商臣怨子上止王立己故譖之遁徒困切○葬僖公緩文公元年經書四月葬僖公僖公實以今年十一月薨并閏七月乃葬故傳云緩自此以下遂因說作主祭祀之事文相次也皆當次在經葬僖公下今在此簡編倒錯編必連切又音布千切倒丁老切作主非禮也文二年乃作主遂因葬文通譏之凡君薨卒哭而祔祔而作主特祀於主既葬反虞則免喪故曰卒哭哭止也以新死者之神祔之於祖尸柩已遠孝子思慕故造木主立几筵焉特用喪禮祭祀於寢不同之於宗廟言凡君者謂諸侯以上不通於卿大夫祔音附上時掌切烝嘗禘於廟冬祭曰烝秋祭曰嘗新主既立特祀於寢則宗廟四時常祀自如舊也三年禮畢又大禘乃皆同於吉烝之承切禘大計切

春秋左傳卷第七